Benita Cantieni

CANTIENICA® — Das Powerprogramm

Benita Cantieni

CANTIENICA® –
Das Powerprogramm

für mehr Lebensenergie,
Lebensfreude und
Lebensqualität

Verlag Gesundheit

CANTIENICA® — Das Powerprogramm

Im *Verlag Gesundheit* sind zum Thema Fitneß und Schönheit bereits erschienen:

Benita Cantieni: Tiger Feeling — Das sinnliche Beckenbodentraining
ISBN 3-333-01002-x

Benita Cantieni: Faceforming — Das Anti-Falten-Programm für Ihr Gesicht
ISBN 3-333-01013-5

Vimla Lalvani: Yoganastik — Übungen zum Wohlfühlen
ISBN 3-333-00747-9

René Koch: Camouflage — Make-up für die Seele
ISBN 3-333-01001-1

Umschlaggestaltung: Costanza Puglisi, Klaus Meyer
Umschlagfoto und Foto Seite 44: © Shape, Fototeam Vollmer, Freiburg
Fotos im Buch: Fototeam Vollmer, Freiburg
Andrea Tresch wurde eingekleidet von
LA BELLA ESTATE, Zürich
Satz und Reproduktion: LVD GmbH, Berlin
Druck und Verarbeitung: Sebald Sachsendruck Plauen

Printed in Germany 1998

ISBN 3-333-01022-4

Gedruckt auf alterungsbeständigem Papier
mit chlorfrei gebleichtem Zellstoff

Für Hans Ulrich und Veronika Habegger

Inhalt

Vorwort von Claus Peter Seibt   11

Vom lebensfrohen Altern   13

Das Märchen von der Traumfigur   14

Wie die CANTIENICA®-Methode entstand   19

Vom guten Gebrauch des Körpers   20
Die Prinzipien   21
Die Grundpositionen   22
    IM STEHEN   22
    IM SITZEN   24
    IM LIEGEN   25

Von Kraft und Beweglichkeit   27

Ein Wort zum Thema Schmerzen   28
Im Rücken   29
Im Nacken   29
In Schultern und Ellbogen   29
In den Rippen/im Brustkorb   30
In den Hüften/Hüftgelenken   30
In den Handgelenken/Fingern   30
In den Beinen/Knien   30
In den Füßen/Fußgelenken/Fersen   30

Bevor Sie beginnen – der Anfang vom Anfang   31

Schnupperkurs in Körperevolution   32
Drei vorbereitende Übungen mit Sofortwirkung   32
    DAS KRAFTFELD BECKENBODEN   32
    DER KRAFTPUNKT AM RÜCKEN   32
    DAS KRAFTZENTRUM AM HINTERKOPF   33
    AUFSPANNUNG DER WIRBELSÄULE   34
    DIE HOHE SCHULE DER ENTSPANNUNG   34

Der Baukasten   35
Kreieren Sie Ihr eigenes Programm   35
Vom Segen der Abwechslung   35
Keine Hilfsmittel notwendig   36

Schritt für Schritt   37
Von Sohle bis Scheitel   37
    FUSSHALTUNG   37
    AUSRICHTUNG BEINE   37
    AUSRICHTUNG RÜCKEN   37
    AUFRICHTUNG BECKEN   38
    AUSRICHTUNG SCHULTERN, ARME   38
    AUFHÄNGUNG KOPF   39
    GRUNDPOSITION STEHEN   40
    GRUNDPOSITION SITZEN   41
    GRUNDPOSITION LIEGEN   41
Gebrauchsanweisung   41
    3-D-BEWEGUNGEN   42
    KLITZEKLEINE BEWEGUNGEN   42
    SO OFT WIEDERHOLEN, WIE'S GEHT   42
    UND SO SOLLTEN SIE VORGEHEN   42

Ihr Wegweiser   43
Das Kurzprogramm   44
Das Vollprogramm   45

Schwungvoll:
Warmmachen   46

Anwärmer   48
Kopfhochturm   49
Schulterformer   50

Wonderbra und Wespentaille:
Busen, Arme, Taille, Schultern, Nacken   52

Bizepsschraube   54
Schmetterling   55
Taillenmacher   56
Blumenkelch   57
Wonderbra   58
Aussichtsturm   59
Brustheber   60
Oberarmstraffer   61

Anmut mit Kraft:
Bauch, Rücken, Nacken, Hals 62

Libelle 64
Waschbrett 66
Unterbauchstraffer 67
Bauch mit Grätsche 68
Bauch im Dreieck 70
Dehnung im Dreieck 71

Apropos Popo:
Gesäß, Hüfte, Oberschenkel, Rücken, Haltung 72

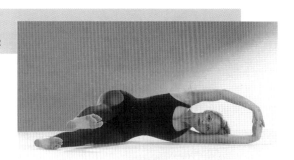

Überbrücken 74
Wie ein Frosch 75
Löwenstretch 76
Dreifüßler 77
Kleine Beinschere 78
Große Beinschere 79
Innenschenkelstraffer 80
Fersenstoßen 81
Beinlang 82
Wolkenkratzer 83

Beinlang und Schenkelschön:
Oberschenkel, Waden, Po, Rücken, Haltung 84

Albatros 86
Allesdehner 87
Fersensitzer 88
Beckendehner 90
Fersensitzachter 92
Hüftöffner 93
Fersenstoßstretch 94
Junge Weide 96
Megastretch 97

**Haltung über alles:
Powerdehnungen für Aufrichtung, Haltung,
Stabilität, Ausstrahlung**   98

X-Dehnung   100
Kopfunter   101
Pyramide   102
Drehfalter   103
Steilhang   104
Hochturm   105

Wenn's beim besten Willen nicht klappt   106

Wie oft? Wie lange?   107

Wie schnell kann ich mit Erfolgen rechnen?   108

Was ist mit dem Gewicht?   109

Vorwort

Ein Frühling vor gar nicht langer Zeit. Kongreßzentrum in Zürich. Beste Adresse. Hundert Menschen waren gekommen, um ihre Wandelkompetenz zu trainieren, also das gute Leben in unerbittlich scharf wandelnder Zeit. »Kundalini ist ein Geburtsrecht des Menschen«, sagte die Frau, und: »Sitzhöcker heißen so, weil man darauf sitzen kann.«

100 Menschen erlebten ihren eigenen Wandel. Sie saßen plötzlich locker und aufrecht und kräftig, sie bewegten sich leicht und folgten den Bewegungen der Frau, als hätten sie nie etwas anderes getan. Die Frau hieß Benita Cantieni.

Ein Frühling vor langer Zeit: Vor etwa fünf Millionen Jahren richteten sich die Wesen auf, die sich später Menschen nannten.

Betrachten wir die fünf Millionen Jahre als eine Stunde, so waren wir 59 Minuten und 52 Sekunden unterwegs. Acht Sekunden sind wir seßhaft. Gewesen. Denn jetzt sind wir wieder unterwegs.

Wir sind mobil. Wir sind vernetzt.
Wir zappen uns durch Bilder und Worte, die rund um den Globus schwirren.
Jetzt eine Idee aus Kalifornien. Dann eine Weisheit aus Indien.
Hier ein Denksystem aus Japan. Dort eine neue Religion aus Südafrika.
Wir lassen uns eine Weile mittreiben. Und steigen aus, wann es uns paßt. Springen auf das nächste Boot im Meer des Metaphysischen.

Wir klicken ein paarmal auf eine Taste, surfen auf endlosen Wellen aus Daten, Bildern, Bewegungen. Wenn das Flimmern in fernen Räumen zuviel wird, klicken wir uns in die gute Stube zurück.
Und haben Rückenschmerzen.
Wir strampeln »zum Ausgleich« auf Bikes über Berge. Durch die Schluchten der gestauten Städte. Wir kurven auf Inlineskates und Rollbrettern herum. Wir riskieren uns mit Gleitschirmen und Segelbooten an die Grenzen der körperlichen Katastrophe.

In Autos, Zügen und Jets jagen und sammeln wir Ferien, Jugend, Erlebnis, Gesundheit, Geschäft, Sex, Wissen, Erfahrung.
Wir sind die neuen Nomaden. Wir sind unterwegs. Geistig. Emotional. Denkend. Körperlich.

Zugleich sind wir Stuhlhocker, Sesselkleber, Sofakuschler. Süchtig die Sicherheit suchend. Diesen Widerspruch spüren wir, täglich und immer mehr.

Denkend können wir diese Spannung verwischen. Emotional können wir uns gegen das Allzuviel zumachen.
Spirituell können wir verarmen.
Nur der Körper macht da nicht mit. Den Körper können wir nicht zum Schweigen verurteilen. Allenfalls einige Zeit. Dann brüllt er, schreit er, krümmt sich, siecht.

Und wenn wir ihn noch so sehr zwingen, wenn wir ihn tothungern oder fettstopfen oder durch immer mehr Muskeln karikieren, wenn wir ihn schöner schnipseln lassen oder ihm mit legalen und illegalen Drogen die Sehnsucht nach der schönen Bewegung austreiben — der Körper läßt sich nicht zwingen.
Er schweigt nicht.
Er schickt uns Nachrichten.
Erst leise, dann immer lauter.
Höre mich. Fühle mich. Nimm mich wahr.
Erinnere dich endlich, daß ich das kann — harmonisch sein, meine Balance finden, meine Bewegung.
Hör endlich auf mit deinen aussichtslosen Anstrengungen. Laß mich machen.

Und wenn wir endlich eines glücklichen Tages zuhören und nach wirklicher Hilfe suchen, steht da Benita Cantieni und sagt: Du kannst das schon.

Jetzt fangen wir an und erinnern uns daran, daß wir schon leicht sind. Weich und harmonisch. Kraftvoll und ausdauernd. Beweglich und locker und froh. Sogar lustvoll. Und schön. Einzigartig eben.

Genau das erwartet Sie mit dem Powerprogramm. Benita Cantieni weiß, wovon sie spricht. Sie hat viel von dem probiert, was man sich körperlich antun kann. Bis sie eines Tages zuhörte. Da begann sie, mit sich Wunder zu vollbringen. Die Wunder hielten an, sie graste methodisch einige Savannen ab, sie begann die Einfachheit der Wunder zu verstehen, die sie mit sich erlebt hatte, und da begann sie, all das weiterzugeben.

Eines ihrer Geschenke ist hier gedruckt: das Powerprogramm. Hätte ich das Geschenk nicht auch schon bekommen, ich würde Sie beneiden. So aber: Herzlichen Glückwunsch zu dem, was jetzt für Sie beginnt.

Claus Peter Seibt
Berater für Unternehmen und Menschen im Wandel
cpseibtconsultation@access.ch
http://www.nomadictimes.ch

Vom lebensfrohen Altern

»Man muß doch auch in Würde altern können«, sagte eines schönen Tages Stefanie, eine Bekannte aus frühen Berufstagen. »Daß ausgerechnet du diesem Körperkult verfallen konntest.« Wir gingen gerade an einem Schaufenster vorbei, das im Sonnenlicht die Spiegelbilder zweier Frauen in Übergröße zurückwarf. Mir fiel auf, wie unterschiedlich sie gingen: Die eine, schlank und großgewachsen, bewegte sich schwerfällig, behäbig, sie schwang ihr Gewicht mit viel Aufwand hin und her, als hätten die Hüften bis zu den Schultern unendlich viel Arbeit, um ein Bein vors andere zu setzen. Die Füße schlurften knapp über den Gehsteig. Die andere, eher klein und figürlich weit entfernt von Gardemaßen, schritt leichtfüßig, der Kopf schwebte obenaus, die Schultern waren entspannt, alles an diesem Spiegelbild wirkte beschwingt und lebensfroh. Diese Frau hatte eisgraue Schläfen, und da merkte ich, daß es mein Spiegelbild war, das mir gefiel. Die Schwerfällige war Stefanie. »Würdevoll altern ist gut«, sagte ich, »lebensfroh älter werden ist besser«, und lud sie ein, die Leichtigkeit des Seins jenseits der Jahre kennenzulernen — durch die CANTIENICA®-Methode für Körperform & Haltung.

Das war vor einem halben Jahr. Stefanie trainiert zweimal pro Woche eine Stunde. Und ist nicht wiederzuerkennen: Figur straff, die Bewegung geschmeidig, wenn sie in einen Raum kommt, ist sie sofort Mittelpunkt, die Menschen drehen sich nach ihr um, Männer und Frauen jeden Alters. Sie strahlt sinnliches Älterwerden aus, jenseits aller Koketterie. Sie hat Allüre ohne Allüren. »Ich möchte dir sagen, warum ich zu dir ins Training kam«, bemerkte Stefanie neulich. »Erinnerst du dich an den Tag, als wir uns in der Stadt trafen und ein Stück weit miteinander gingen? Da sah ich plötzlich zwei Schemen riesengroß in einem Schaufenster. Die eine Figur wirkte lebendig und leicht. Die andere schwerfällig und plump. Diese plumpe Figur war

mein Spiegelbild. Das hat mir zugesetzt. Schließlich war ich doch immer die Große mit der guten Figur!« Es habe sie über Wochen verfolgt, das Spiegelbild, »meine Ausstrahlung war alt, weit älter als ich«.

Ich habe aus der CANTIENICA®-Methode für Körperform & Haltung dieses Powerprogramm für Sie zusammengestellt. Sie können es überall durchführen, denn Sie brauchen kein spezielles Zubehör. Mit diesem Powerprogramm können Sie ganz schnell Ihre Figur formen. Busen hoch, Schultern runter, Arme fest, Popo rund, Bauch flach, Beine straff. Zu Risiken und Nebenwirkungen ist zu sagen: Sie müssen mehr Lebensqualität in Kauf nehmen. Mehr Lebensfreude. Mehr Lebensenergie.

Ich sehe die Sache mit dem Älterwerden auch ganz praktisch und arithmetisch: Wir werden immer älter. Der Körper muß als Erfahrungsinstrument länger herhalten denn je in der Geschichte des Menschen und der Welt. Je bewußter, sorgfältiger, aufmerksamer wir mit diesem Instrument umgehen, um so länger fühlen wir uns wohl. Dem CANTIENICA®-Powerprogramm liegen die Grundsätze der Spiraldynamik International zugrunde, also die Lehre vom anatomisch richtigen Gebrauch des Körpers. Lernen Sie diese Gesetze auf ganz praktische Art kennen. Spielerisch. Einfach nachzuvollziehen. Effizient. Mit dem wunderbaren Nebeneffekt, daß Sie typische Alters- und Zivilisationskrankheiten wie Inkontinenz, Bandscheibendeformationen, Rückenschmerzen, Osteoporose, Altersbuckel, Deformationen der Füße, Arthrosen durch Abnutzung der Gelenke, Verspannungen in den Schultern, und was der vermeintlich unabdingbaren Bresten noch sind, nicht zu fürchten brauchen. Weil Sie den Körper im Alltag anatomisch richtig gebrauchen. Klingt phantastisch — und funktioniert phantastisch. Wie das geht, erfahren Sie in diesem Buch.

Das Märchen von der Traumfigur

Traumfigur? Nein. Die kann und will ich Ihnen nicht versprechen. Ich kenne ungefähr zwei Frauen über 45, die mit der sogenannten Traumfigur gesegnet sind. Bei der einen liegt sie einfach in den Genen. Sie kann essen, was sie will, soviel sie will, wann sie will. Zudem ist sie ununterbrochen in Bewegung, kann nicht sein ohne lange Spaziergänge, tanzt fürs Leben gern, springt in jede Wasserpfütze, um ein paar Runden zu schwimmen. Sie spielt Tennis und Golf im Sommer, steigt schon mal mit ihren halbwüchsigen Söhnen auf dem Rollbrett in die Halfpipe. Im Winter fährt sie Ski, schwimmt im Hallenbad. Sie bewegt sich aus Freude und Lust, und das strahlt ihr Gesicht auch aus. Die andere arbeitet sehr, sehr hart für diese Traumfigur: Diät — lebenslänglich. Bodybuilding — fast täglich. Fettverbrennen — mindestens dreimal in der Woche. Die Verbissenheit des Tuns, die Obsession mit dem Schenkelumfang und dem Fettanteil in der Körpermasse schlagen sich in ihren Gesichtszügen nieder, es wirkt 15 Jahre älter als der Körper.

Die nachhaltige Traumfigur ist demnach entweder Glücksfall oder harte Arbeit und eiserne Disziplin.

Ich nehme an, Sie stehen, wie ich, irgendwo zwischen diesen Extremen. Mit den Beinen sind Sie sehr zufrieden. Den Bauch hätten Sie gern etwas flacher. Der Busen hatte schon bessere Tage. Oder umgekehrt: Busen zufriedenstellend, Beine weniger, Po schon gar nicht. Macht nichts. Holen Sie einfach die Bestform raus. Ist Ihr Körper geschmeidig, kräftig und beweglich, kommt die Freude an Bewegung, Sport, Sinnlichkeit. Ein Körper, der sich gern und viel bewegt, hat Ausstrahlung. Wenn Sie sich wohl fühlen in Ihrer Haut, steigert sich Ihr Selbstbewußtsein. Menschen, die sich selber mögen, sind immer schön.

Das ist die Bestform, die ich meine. Diese Bestform garantiert Ihnen die CANTIENICA®-Methode für Körperform & Haltung: harmonische Formen, Geschmeidigkeit, Kraft, Beweglichkeit. Anmut. Schönheit im Bereich Ihrer Möglichkeiten. Egal, ob Sie 25 oder 85 sind. Schönheit jenseits modischer Ideale.

Es gibt Menschen, die wirken mit 25 alt, andere mit 75 ausgesprochen jung. Wenn Sie genau hinsehen, was denn die Relativität der Jahre ausmacht, so werden Sie eine gemeinsame Ursache finden: die Haltung. Sie trägt mehr zu Ausstrahlung und Schönheit eines Menschen bei als ebenmäßige Gesichtszüge und lange Beine, als wallendes Haar und perfekte Zähne.

Falls sich bei Ihnen auf das Stichwort Haltung gleich die Nackenhaare sträuben — keine Bange. Nix Brust raus und Bauch rein! Die Haltung, die ich meine, hat mit Ökonomie, Leichtigkeit, Natürlichkeit und Ästhetik zu tun. Einmal gelernt, stellt sie sich mühelos ein.

Vergessen Sie alle Ermahnungen aus Kindheit und Schulzeit, wonach nur das Leiden wertvolle Lektionen vermittelt. Sie müssen unter der Last der Jahre nicht schrumpfen. Sie müssen nicht krumm werden, nicht inkontinent, nicht knochenbrüchig. Sie müssen nicht schwer werden, nicht unförmig, nicht steif. Sie brauchen keine geschwollenen Beine, keine schiefen Hüften und keine verspannten Schultern. Sie müssen nicht alle Haltungsschäden und Altersgebresten, die es in Ihrer Familie je gab, durchleben. Alles Ammenmärchen, die nur so lange wahr scheinen, wie wir an sie glauben. Wie das die Märchen halt so an sich haben. Sie schaffen mit 50 den ersten Spagat — so Sie das wollen. Und Sie müssen noch nicht einmal viel dafür tun. Nur das Richtige richtig. Lassen Sie ab vom lebenslangen Kampf gegen die Schwerkraft. Verbünden Sie sich mit ihr. Sie hält uns auf diesem Planeten aufrecht. »Klar«, sagt meine 9jährige Freundin Klara, »verstehe ich sofort. Ohne Schwerkraft würde ich am Tag wie ein Ballon zur Sonne fliegen und in der Nacht, wenn die Welt kopfüber steht, wie ein Stein nach unten purzeln.« Sie bewegt sich entsprechend unbeschwert in der Schwerkraft, schlägt Räder und Purzelbäume, einfach aus Freude am Tun. Sie stellt sich auf Rollschuhe und »Schneebretter«, und ihr Körper weiß einfach, wie damit umzugehen ist.

Körperintelligenz ist Bewegungsintelligenz. Erlauben Sie mir einen kleinen Abstecher in die moderne Hirnforschung. »Selbst-Bewußtsein hat sich zuerst aus Körper-Bewußtsein entwickelt«, behauptet der junge Psychologe und Forscher Daniel Povinelli aus den USA. Auf die Kernaussage vereinfacht, besagt seine Theorie: Unsere Intelligenz, unsere Denkfähigkeit, unser Ich-Bewußtsein bis hin zu unserer Spiritualität hat sich aus dem Bewußtsein »Ich habe einen Körper, und ich kann diesen Körper bewußt gebrauchen«, entwickelt. Der Neurobiologe Franz Mechsner resümiert in einem brillanten Artikel über Povinelli in Geo (Geo Nr. 2/1998): Nicht die Innenschau eines meditativen Geistes sei der Kern des Selbst-Bewußtseins, der bilde sich vielmehr aus Aktivität, Handlung, Bewegung. Ich spüre mich, ich erfahre, ich handle, also bin ich. Bewegung ist Leben. Bewußte Bewegung ist die Wiege der Intelligenz. Egal, ob Povinellis Hypothese eins zu eins stimmt: Faszinierend ist sie alleweil. Versuchen Sie mal, ein, zwei Stunden lang jede Bewegung bewußt zu tun, Schritt um Schritt, Handgriff um Handgriff. Halten Sie den Füllhalter aufmerksam, schälen Sie den Apfel mit voller Hingabe. Überlegen Sie unten am Treppenabsatz, wie Sie die Treppenstufen hochgehen werden. Vielleicht hinderlich in der Hetze des modernen Alltags. Aber eine lohnende Meditation.

Das CANTIENICA®-Powerprogramm verlangt von Ihnen Aufmerksamkeit. Als Lohn wartet Ihr neues Körperbewußtsein. Als handfestes, sinnliches Erleben, als Ihre persönliche Körper-Evolution.

Wenn sich jetzt der Skeptiker in Ihnen regt, der sagt, das sei doch alles zu weit hergeholt und überhaupt nicht möglich, eventuell sogar unseriös: Probieren Sie es aus. Ihr Körper sagt Ihnen, ob's funktioniert. Das ist das einzige Kriterium, das zählt. Jedesmal, wenn Sie das Programm ausführen, werden Sie neue Facetten, subtilere Muskelreaktionen, filigranere Bewegungen entdecken.

Freude an Bewegung hat noch viel mehr Vorteile. Wer sich gern bewegt, hat kaum Sorgen mit dem Gewicht. Sehr viele Frauen berichten auch, sie hätten sich durch das Powerprogramm mit ihrem Körper ausgesöhnt. Das Wohlbefinden ist nicht länger eine Frage der Kilos, die ihre Waage am Morgen anzeigt. Sind die Körperformen harmonisch, so fällt das Gewicht kaum mehr ins Gewicht. Das körperliche Wohlbefinden und die Zufriedenheit regulieren bei vielen Menschen das Eßverhalten auf ganz natürliche Weise. Ich vermute dahinter eine Mischung aus handfesten biochemischen Vorgängen im Körper und psychologischen Veränderungen. Wenn ich plötzlich gern und ohne Überwindung trainiere, so stärkt das mein Selbstwertgefühl. Wenn ich mit 50 entdecken kann, daß mein Körper eine Stradivari ist, vernarbt und da und dort geflickt zwar, hier ein Span weg, dort etwas Lack ab, und dennoch das wunderbarste Erlebnisinstrument, das mir auf diesem Planeten zur Verfügung steht, so macht das selbstbewußt. Essen verliert den Stellenwert als Seelentröster, Lückenbüßer, Pausenfüller.

Es macht nachdenklich: Acht von zehn Frauen, die zu mir ins Studio kommen, haben ein gestörtes Verhältnis zum Essen. Damit meine ich nicht die eindeutig krankhaften Störungen wie Magersucht, Bulimie oder Fettsucht. Ich meine den ganz alltäglichen Wahnsinn: morgens als erstes auf die Waage, nach dem Frühstücks-Croissant die ersten Schuldgefühle, Kalorien zählen für den Rest des Tages — und die halbe Kapazität an Energie und Konzentration darauf fokussiert, was »man« essen darf, essen soll, essen möchte, auf keinen Fall essen wird, obwohl Lust darauf besteht. Die Besessenheit ist längst eine Volkskrankheit. Anorexie und Bulimie (Magersucht und Eß- und Brechsucht) sind Modethemen. Jedes Frauenmagazin, egal ob gedruckt oder fürs Fernsehen gefilmt, widmet den Extremen unendlich viel Platz und Satz. Und beschäftigen sich daher nur mit der Spitze des Eisbergs: Abführmittel, Entwässerungspillen, Quellstoffe, Magenfüller, Appetitzügler sind Milliardengeschäfte. Die regelmäßigen Eingriffe in den Stoffwechsel haben verheerende Wirkungen auf die Gesundheit. Schlankheitsmahlzeiten, Abmagerungssysteme sind so weit verbreitet wie das Birchermüsli. Ich kenne Frauen, die ernähren sich seit Jahren mit Substituten und gefährlichen Kräuterpillen und finden das normal, mehr noch: Sie sind stolz auf ihre Disziplin. Sie nehmen Nebenerscheinungen wie chronische Blasenentzündungen, Dauerdurchfall, Juckreiz, Haarausfall, Gleichgewichtsstörungen, Herzrhythmusstörungen in Kauf. Hauptsache schlank!

So weit bin ich noch nie gegangen. Meine Gesundheit hat ein Frühwarnsystem, das mich vor ganz großen Dummheiten rettet. Dennoch: Ich zähle mich ganz unbeschönigt zu dem Heer von Frauen mit völlig verquerem Selbstbild. Natürlich weiß ich es besser, natürlich kenne ich die Fallen, natürlich weiß ich, daß die Schönheitsidole von heute die ganz normalen Frauen von morgen sind. Natürlich weiß ich, daß die Stars zu Hollywood in den meisten Fällen Beauties aus Chirurgenhand und entsprechend vernarbt sind. Und trotzdem, wenn ich mir nackt im Spiegel begegne, vergleiche ich und zensiere ich, da zuviel, dort zuwenig, und ich riskiere nur unter Lebensgefahr, mich öffentlich im Bikini zu zeigen.

Ich habe ein paar Mittel, um gegen diesen steten selbstgemachten Streß anzugehen. Erstens: regelmäßiges Training — regelmäßig, nicht übermäßig. Fühle ich mich gut in meiner Haut, so bin ich entschieden weniger selbstkritisch. Fühle ich mich fit, leistungsfähig und lebensfroh, so fällt mir gar nicht auf, ob ich ein Kilogramm mehr oder weniger auf den Hüften trage. Zweitens: Nicht mehr vergleichen. Schluß mit dem skalpellscharfen Beobachten anderer Frauen, das Frauen so beherrschen. Schluß mit: »Die hat aber auch Cellulite ... Mann, für ihr Alter ist das Fleisch aber ganz schön schlaff ...« Sondern: Ich schaue die anderen Frauen mit liebendem Blick an, sehe das Einmalige an der anderen, das Schöne, das Unverwechselbare. Freue mich über die schöne Figur der Freundin. Anfangs war es hartes Konditionstraining, so sehr war das neidvolle Vergleichen zur Gewohnheit geworden, so sehr ist es in unserer Kultur verankert, »Hast du die gesehen ... was sagst du nur zu Frau Meiers neuen Frisur ... die Schiffer sah auch schon besser aus ...« Ausdauertraining im Negativvergleichen. Versuchen Sie's mal andersherum und fangen Sie gleich jetzt an, bei sich selbst: Was ist besonders schön an Ihnen? Augen, Busen, Haut, Hände, Haar, anmutige Bewegungen, Stimme, Sprache? Was machen Sie besonders gut? Wofür kriegen Sie die meisten Komplimente? Wofür möchten Sie gerne gelobt werden? Wie reagieren Sie auf Lob, Komplimente, Aufmerksamkeit, Zustimmung? Können Sie sich darüber freuen oder entschuldigen Sie sich gleich?

Hier ist ein Werkzeug, mit dem Sie von Ihrem Körperbild Abschied nehmen können. Schnell und nachhaltig. Das Spiel kann Ihr Bewußtsein erneuern. Entwickelt hat es Claus Peter Seibt, Berater für Unternehmen und Menschen im Wandel. Nehmen Sie sich Zeit für die »Heimreise«, einen Abend, einen Sonntag. Sie können das Selbstbild im Wandel allein machen oder mit einer Freundin. Ich selber habe mit Seibts Werkzeugen schon manchen scheinbar unentwirrbaren Seelenknoten gelöst und wünsche Ihnen viel Vergnügen.

»Ah, Sie kennen jemanden, der seinen Körper nicht mag? Sie selbst sind es? Vielversprechend. Haben Sie schon alles probiert und hat nichts funktioniert? Auch gut. Jetzt wissen Sie: So geht es nicht.

Wünschen Sie sich den besten Körper. Ihren. Magie in fünf Akten. Sie brauchen dafür viel Papier und möglichst bunte Stifte. Und etwas Muße.

Erster Akt
Stellen Sie sich bitte vor den größten erreichbaren Spiegel. Kleider weg. Alle.
Betrachten Sie sich so genau es geht. Von vorn, von hinten, von der Seite, von oben, von unten, von nah, von fern.
Notieren Sie alles Positive, Gute, Schöne, was Ihnen zu dem, was Sie im Spiegel sehen, einfällt.
Was ist besonders gut gelungen an Ihnen?
Was ist besonders eindrucksvoll?
Was ist besonders ausdrucksvoll?
Was ist schön?
Was ist außergewöhnlich?
Was ist ganz besonders harmonisch?
Die Liste wächst so lange, wie Ihnen etwas dazu einfällt und auffällt.
Schreiben Sie eine kleine Geschichte über die Schönheit Ihres Körpers, in die Sie möglichst viele der Trouvailles auf Ihrer Liste verweben.

Zweiter Akt
Wieder oder immer noch vor dem größten Spiegel. Diesmal so kritisch als möglich:
Was ist nicht schön an mir?
Was ist unerfreulich?
Was ist häßlich?
Was ist unharmonisch?
Suchen Sie vorn und hinten und oben und nah

und fern und schreiben Sie auf, was Ihnen
in den Sinn kommt.
Mitleidlos. Prall. Kraftvoll. Wütend. Schön.

Dritter Akt

Legen Sie Ihre Lieblings-CD auf.
Nehmen Sie die Negativliste in die Hände.
Mit größter Aufmerksamkeit.
Treten Sie mit ihr vor den Spiegel.
Schließen Sie die Augen.
Schließen Sie die Augen.
Schließen Sie die Augen so lange, bis Sie die
Augen mit dem Blick eines liebenden Menschen
öffnen können.
Betrachten Sie sich mit diesen liebenden Augen.
Sehen Sie alles, was Sie zuvor gnadenlos kritisierten,
neu an. Beschreiben Sie, was an den vermeintli-
chen Mängeln interessant ist. Besonders ist. Einzig-
artig ist. Außergewöhnlich ist. Liebenswert ist.
Halt. Dageblieben! Nicht aufgeben!
Es geht ganz leicht!
Was ist interessant?
Was ist einzigartig?
Was ist besonders?
Was ist außergewöhnlich?
Was ist liebenswert?
Bravo. Sie haben es geschafft. Der Anfang war sehr
schwierig, ich weiß.
Jetzt schreiben Sie einen Brief an diesen
besonderen, außergewöhnlichen, interessanten,
liebenswerten Körper.

Vierter Akt

Welches ist Ihr liebstes Element?
Die Luft?
Das Wasser?
Die Erde?
Das Feuer?
Ist es in diesem Moment Wasser und Feuer?
Luft und Feuer? Erde und Wasser?
Wählen Sie das Element oder die Elemente, die
jetzt, in diesem Augenblick, für Sie richtig sind.
Denn das ist jetzt Ihr magisches Medium.
Die Luft?
Von Hand oder mit der Schere den Brief, die
Geschichte, die Notizen kleinschnipseln. In luftige
Höhe stellen: ins Fenster, aufs Dach, in den Turm,
auf einen Baum, einem Ballon mitgeben, dem
Wind überlassen. Alles geht.
Das macht Ihr Herz derweil: bedanken. Danke

sagen für alles, was Ihnen Ihr Körper bis jetzt war.
Danke, und flieg', Vergangenheit. Aufmerksam
und ganz langsam umdrehen und losgehen. Ohne
den Ballast der Urteile. Vom Baum klettern, durch
den Wind spazieren, aus dem Turm steigen.
Mögen Sie lieber das Wasser?
Übergeben Sie Ihr Papier, Ihre Zettel, Ihre
Schnipsel dem Meer, dem See, einem Teich, einem
Fluß, notfalls dem WC. Runterspülen,
fortschwemmen und danke sagen, danke, Körper,
für alles, was war.
Aufmerksam umdrehen und losgehen,
ohne den Ballast der überlebten Urteile.
Die Erde, ist Ihnen die Erde das liebste Medium?
Sie können Ihre Schnipsel vergraben, im Wald, im
Garten, im Blumentopf, im Balkonbeet, unter
einem Fels. Vergraben, verjäten, verrechen — mit
Ihrem Dank. Danke, Körper. Langsam abwenden,
wieder unterwegs sein, ohne das belastende
Gepäck von gestern.
Und wenn Sie sich fürs Feuer am meisten erwärmen?
Feuermachen, was denn sonst. Drinnen oder
draußen. (Die städtische Feuerwehr verlangt, daß
ich Sie hier bitte, einen sicheren Ort zu wählen.)
Lodern lassen. Zum Dankeschön an Ihren Körper.

Fünfter Akt

Ab jetzt notieren Sie es jedesmal, wenn Ihnen
Kritisches zu Ihrem Körper auffällt, einfällt. Und
wiederholen die Magie in Kurzform: aufschreiben,
schnipseln, gehenlassen in Feuer, Erde, Luft oder
Wasser.

Wir sind Körper. Mehr noch: Wir verkörpern uns.
Genau so, wie wir in diesem Moment unseres
Lebens sind. Wie wir uns körperlich empfinden.

Wenn Ihre Urteile weg sind, bleibt dies übrig:
Sie sind einzigartig, hinreißend.

PS: Die Magie hilft nicht, wenn Sie sich nicht für
das Bisherige bedanken. Mußte ich am eigenen
Leib erfahren ...«

Stimmt. Ich habe jahrelang versucht, aus meinem
ungeliebten Körper einen geliebten zu machen.
Funktionierte nicht ohne Wertschätzung, ohne
Dank. Mit dem »magischen Rezept« von Seibt
klappt's.

Die Waage habe ich vor 15 Jahren ausgemustert und halte mich ans Wohlfühlgewicht. Von Radikalkuren lasse ich die Finger, ich kenne das Jojo-Phänomen zu gut — fünf Kilo runter, sieben Kilo rauf. Wenn ich etwas mit schlechtem Gewissen essen möchte, lasse ich es gleich sein.

Das Powerprogramm ist auch die beste Grundlage für Bewegungsfreude. Ob Wandern oder Wasserski, ob Golf oder Geräteturnen, ob Skilauf oder Schwimmen, Rudern oder Radfahren: Jeder Sport wird Ihnen leichter fallen. Weil Ihnen das Powerprogramm ausdauernde Kraft, Beweglichkeit und die anatomisch richtige Koordination des Körpers vermittelt. Das vermindert auch die Gefahren von Verletzungen und Folgeschäden aller Art.

Wie die CANTIENICA®-Methode entstand

Anfang der achtziger Jahre entwickelte die Amerikanerin und Fitneßtrainerin Callan Pinckney aus schierer Not für sich ein Fitneßprogramm: exakte Positionen, winzig kleine Bewegungen, möglichst viele Wiederholungen, intensives Muskeltraining, unmittelbar gefolgt von präzisen Dehnungen. Sie trainierte sich frei von allen Rückenschmerzen, Hüftbeschwerden. Callans Figur veränderte sich gleichzeitig sehr positiv. »Warst du beim Schönheitschirurgen«, fragten die Freundinnen. Und so richtete sich Callan ein eigenes Studio ein, nannte ihre Übungen Callanetics, schrieb ein Buch, drehte ein Video, und Callanetics trat eine Weltreise an. Weitere Bücher und Videos folgten Schlag auf Schlag. Der Erfolg schwappte nach Europa über.

Ich interviewte Callan Pinckney im Frühling 1992 in München. Eigentlich machte ich mich ziemlich von oben herab an diese Modewelle, die unappetitlich mit nackten Hintern »vorher und nachher« warb. Trotzdem, wenigstens ausprobieren mußte ich die Turnübungen. Und siehe da — der Funke sprang über. Ich spürte schon nach dem ersten Versuch eine Linderung meiner chronischen Rückenschmerzen. Fünf Monate später war ich Teilhaberin der Callanetics AG in Zürich und absolvierte bei Callan Pinckney die Ausbildung zur Callanetics-Trainerin, so nebenbei, als gesundes Hobby, wie ich damals dachte. Der Erfolg hielt ein paar Monate an, dann kamen die Schmerzen zurück, stärker denn je. Eine Erfahrung, die viele meiner Klienten auch machten. Ich wußte: Irgend etwas stimmte anatomisch in den Bewegungsabläufen nicht. Und ich mußte herausfinden, was das war.

Im Frühling 1994 begegnete ich »zufällig« Christian Larsen. Er ist Arzt und Mitbegründer der Spiraldynamik International, einem Konzept vom richtigen Gebrauch des Körpers in Bewegung. Eine schicksalhafte Begegnung. Es war wie Lesenlernen. Ich lernte von Christian Larsen in kürzester Zeit das Körper-Abc. Und daraus bildete ich meine Körpersprache. Ich nannte das neue Programm NEWCALLANETICS® und verfaßte mit dem Segen von Callan Pinckney den Bestseller »NEWCALLANETICS® — Die neue Methode« (erschienen in der Reihe Journal für die Frau bei Ullstein).

Meine Forschungen und Erfahrungen führten mich sehr schnell immer weiter weg von Callanetics: Ich integrierte den konsequenten Gebrauch der Beckenbodenmuskulatur in die Fitneßmethode. Ich begann, alle Bewegungen dreidimensional auszuführen. Also nicht mehr auf und ab mit dem Arm oder hin und her mit dem Bein. Die neuen Bewegungen sind gelenkgerecht und muskelkonform und beugen so Verletzungen vor. Es werden die tiefsten Schichten der Muskulatur gekräftigt, jene Schichten, die das Skelett halten und formen. Auf Kraftübungen folgen unmittelbar dynamische Dehnungen. Diese neue Art des Stretching verhindert, daß die Muskeln während der Übung erkalten können. Crosstraining und Motiontraining erlauben spannende Choreographien. Das Programm ist abwechslungsreich und macht daher auch Spaß.

Inzwischen hat diese neue Körpersprache ihr eigenes Gütesiegel: CANTIENICA®. Es steht für eine Reihe von Programmen, die auf ganz spezifische Bedürfnisse abgestimmt sind.

CANTIENICA®-BECKENBODENTRAINING
Physiotherapeuten, Hebammen, Yogalehrer, Sportlehrer können sich bei mir ausbilden lassen, um dann spezielle Kurse anzubieten. Das Beckenbodentraining nach Benita Cantieni wird von namhaften Ärzten und Kliniken empfohlen.

CANTIENICA®-METHODE FÜR
KÖRPERFORM & HALTUNG
Die »Studio Collection« umfaßt ein Programm mit mehr als 200 Übungen, die exklusiv in lizenzierten CANTIENICA®-Studios angeboten werden. Stete Weiterbildung ist Teil des Konzeptes: Autorisierte Lehrerinnen und Lehrer erneuern ihr Diplom jährlich. CANTIENICA®-Methode für Körperform & Haltung hat den Beckenboden fest integriert.

CANTIENICA®-FACEFORMING
Das Programm gegen Falten, Streß und Verspannungen. Was für den Körper gut und richtig ist, funktioniert auch für den Kopf: Haltung und Mimik nach den Grundsätzen des anatomisch richtigen Gebrauchs.

Gut möglich, daß die Gebrauchsanweisung für das Powerprogramm zuweilen belehrend auf Sie wirkt. Ja, ich muß zum Teil weit ausholen, weil diese Art des Trainings so neu und anders ist.

Lesen Sie die Einleitung *einmal aufmerksam* durch, beschleunigen Sie damit die Wirksamkeit des Powerprogramms. Sie werden den anatomisch guten Gebrauch des Körpers sehr schnell lernen — und dann gar nicht mehr verstehen, wie Sie sich je anders tragen und halten konnten!

Vom guten Gebrauch des Körpers

Das CANTIENICA®-Powerprogramm zeigt Ihnen Schritt für Schritt, wie Bewegungsabläufe anatomisch korrekt durchgeführt werden. Das eine oder andere Element wird Sie im ersten Moment seltsam anmuten. Probieren Sie es einfach aus, Ihr Körper wird Ihnen die Rückmeldung geben. Und darauf ist Verlaß, vertrauen Sie sich selbst. Auch Aerobics-Lehrer, Yoga-Instruktoren und Physiotherapeuten reagieren anfangs irritiert. »Mein Kopf versteht es noch nicht, aber mein Körper sagt mir, daß es richtig ist«, brachte eine Hebamme ihr Gefühl auf den Punkt.

»Koordiniert ist immer ökonomisch, ist immer ästhetisch«, lautet ein Merksatz von Dr. Larsen in der Spiraldynamik. Ein Gesetz, auf das ich mich selbst beim Tüfteln und Forschen und Entwickeln vollkommen verlassen kann. Jede neue Übung muß durch diesen TÜV, zuerst bei mir, dann bei den Frauen und Männern meiner Pilotgruppe. Fühlt sich die Position organisch und ökonomisch an? Fühlt sie sich leicht und schön an? Sieht sie schön aus? Kann ich eine Frage nicht mit Ja beantworten, so forsche ich weiter.

Dafür gleich ein Beispiel im Bild. Zweimal Andrea Tresch, 27. Sie ist Chefinstruktorin der CANTIENICA® — Methode für Körperform & Haltung in Zürich und zeigt Ihnen die Übungen des Powerprogramms in diesem Buch.
Ich werde Ihnen jetzt die Grundelemente erklären und Ihnen sagen, wie Sie selbst feststellen können, ob Sie die Übung richtig machen. Wenn Sie diese

Prinzipien verstehen, ist das Powerprogramm eine Herausforderung mit Erfolgsgarantie. Falls Sie zu den ungeduldigen Naturen gehören: Bitte tief durchatmen. Bereiten Sie sich einen Kaffee oder Ihren Lieblingstee zu, machen Sie es sich auf dem Sofa gemütlich und — lesen Sie dieses Kapitel in Ruhe und gründlich durch. Hier liegt das Geheimnis für Ihren schnellen, sicheren Erfolg mit dem Powerprogramm.

Die Prinzipien

Das Powerprogramm bearbeitet alle wichtigen Muskelgruppen des Körpers. Die Muskeln werden in ihrer ganzen Länge, also vom Ursprung bis zum Ansatz benutzt. Das ist wertvoll, weil sich die Muskeln, Sehnen und Bänder sehr viel leichter dehnen lassen. Die sehnigen Stellen, an denen Muskeln und Knochen zusammenwachsen, bleiben (oder werden wieder) geschmeidig und elastisch.

Die Positionierung ist extrem wichtig. Die optimale Grundstellung entscheidet über schnellen Erfolg oder Mißerfolg. Wer diesen Punkt nicht ernst nimmt, kann Überraschungen erleben: Muskelpakete entstehen just an den Orten, an denen sie nicht gewünscht werden. Falls Ihnen das passiert: keine Panik. So schnell, wie die Muckis auftauchen, so schnell verschwinden sie auch wieder, wenn die Position korrigiert wird. Nehmen Sie's mit Humor: Jetzt wissen Sie, wie schnell die Methode wirkt. Und Sie haben eine wichtige Lektion gründlich gelernt.

Auf welchem Bild wirkt die Position organisch, ökonomisch und ästhetisch? Links hat Andrea das Gesäß und den Bauch angespannt und drückt den Rücken auf den Boden. Rechts ist die Wirbelsäule zwischen Beckenboden und Scheitelpunkt aufgespannt, der Rücken fließt entspannt in die Unterlage. Der Unterschied ist sichtbar und spürbar.

Aus den präzisen Grundpositionen werden winzige Bewegungen gemacht. Ich benutze dafür das Wort »pulsieren«: Im Tempo Ihres Herzschlages führen Sie klitzekleine, gezielte, dreidimensionale Bewegungen durch, und zwar genau so viele, wie Sie gerade schaffen. Das können beim ersten Versuch 5 Wiederholungen sein, beim zweiten schon 10, beim dritten 20. Wenn Sie mehr als 50 Wiederholungen schaffen, so sind Sie entweder in Olympiaform oder, wahrscheinlicher, nachlässig in Sachen Ausgangsposition.

Kraftübungen und Dehnungen sind in sinnvollen anatomischen Gruppen zusammengefaßt: Die Muskelgruppe wird erst bearbeitet und dann sofort gedehnt, solange sie schön aufgewärmt ist. Die Dynamik der Dehnungen erfolgt durch Atmung und das beschriebene Pulsieren. Bitte nicht wippen! Die Dehnung nicht zu lange halten, sonst kühlt sich der Muskel dabei ab, und das verkürzt ihn sogleich wieder, alles ist für die Katz', besser gesagt: für den Muskelkater.

Wenn Sie fürs ganze Programm keine Zeit haben, so lassen Sie bitte Muskelübungen aus, nicht die Dehnungen. Skeptikerinnen möchte ich auch hier zum Experimentieren einladen: Machen Sie die Kraftübungen zwischendurch einmal ohne die Dehnungen. Sie werden am nächsten Tag den Unterschied spüren. Befolgen Sie das Programm wie vorgeschlagen, so spüren Sie hinterher eine kleine Muskelsensation, ein »Muskelkätzchen«. Lassen Sie die Dehnungen aus oder absolvieren Sie einfach alle am Anfang oder am Schluß, so werden Sie einen ausgewachsenen Muskelkater erleben. Nichts ist überzeugender als die Erfahrung am eigenen Körper. In diesem Sinne: Viel Vergnügen!

Die Grundpositionen

IM STEHEN

Das herrschende Schönheitsideal für Frauen diktiert noch immer Hohlkreuz, am liebsten auf hohen Absätzen, weil so die Beine angeblich länger erscheinen, besonders, wenn sie noch zum X verdreht werden. Die Schultern werden hoch und nach vorn gezogen, das sieht so schön lässig aus. Jetzt noch Bauch einziehen und die Brust rausstrecken, uff,

Knie durchgedrückt, Brust raus, Kreuz hohl.

Schultern nach vorn, dafür Kinn hoch und das Becken gekippt.

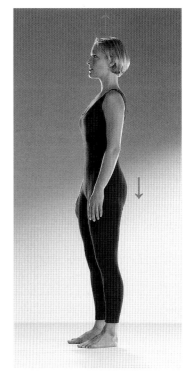

Und so sieht's anatomisch richtig aus: leicht und schön.

ist das anstrengend. Irgendwie muß die Pracht ausbalanciert werden, also reckt sich das Kinn von selber hoch, der Kopf fällt in den Nacken.

»Wenn's schee macht«, pflegt der Bayer in solchen Fällen zu sagen. Stabil ist die Pose nicht. Und für die naturgegebene Anatomie ist sie eine Katastrophe! Die Gelenke werden dauernd falsch belastet, Arthrosen und Entzündungen sind unausweichlich. Muskeln verkürzen sich und werden an den Gegenpolen überdehnt, mit dem Resultat von chronischen Verspannungen und diffusen Dauerschmerzen. Die Füße deformieren sich.

Machen Sie mit einer Freundin oder einem Mitglied Ihrer Familie folgenden Test: Schlüpfen Sie in Schuhe mit Absätzen. Betonen Sie das Hohlkreuz bewußt. Ziehen Sie die Schultern nach oben, wenn's ohne Schmerzen geht, auch noch leicht nach vorn. Nun recken Sie das Kinn nach vorn. Ihre Testpartnerin legt jetzt die Handflächen solide auf Ihre Schultern und drückt einmal kurz und konkret nach unten. Bitte wirklich nur kurz: Hände aufsetzen, senkrecht runterdrücken, loslassen. Das dauert so lange, wie Sie brauchen, um einundzwanzig langsam auszusprechen, auf keinen Fall länger.

Jetzt schlüpfen Sie aus den Schuhen. Richten Sie die Füße hüftweit nebeneinander aus, wie es Ihnen bequem ist. Die großen Zehen können ein kleines bißchen zur Seite schauen (*siehe Bild*). Knie entspannen. Lassen Sie den unteren Rücken entspannt nach unten fließen, dabei richtet sich das Becken auf. Wenn sich bei dieser bewußten Entspannung des Kreuzes und des unteren Rückens spontan Ihre Sitzknochen zusammenziehen, so kriegen Sie im Fach Körperintelligenz die Bestnote. Wenn nicht, so macht das für diese kleine Demonstration nichts. Achtung: Gesäß und Bauch bleiben absolut entspannt.

Stellen Sie sich vor, vom Steißbein führe ein goldener Faden gerade hinauf zum höchsten Punkt am Kopf. Lassen Sie den Goldfaden an diesem Kronenpunkt austreten und direkt zum Himmel hochleiten. Mund leicht öffnen, Unterkiefer entspannen. Schultern nach hinten, nach außen, nach unten fallen lassen. Die Arme hängen schwer und entspannt.

Beckenboden aktiviert, Schultern nach außen-unten, entspannt, Kopf hoch ...

Nun drückt der Partner oder die Partnerin wieder einmal kurz und klar auf die Schultern. Ein-und-zwan-zig, loslassen.

Haben Sie den Unterschied gespürt? Hat Ihr Partner den Unterschied gespürt? Ziemlich eindrücklich, finden Sie nicht? Wenn schon diese kleine Haltungsübung soviel ausmacht, stellen Sie sich vor, wie stabil, wie »gemittet« und geerdet Sie nach drei Monaten Powertraining mit integriertem Beckenboden sein werden! Machen Sie den Stabilitätstest, wann immer Ihnen danach ist. Menschen mit akuten Rückenbeschwerden (Diskushernie, Skoliose, Scheuermannsches Syndrom, Ischias, Hexenschuß etc.) bitte ich, den Stabilitätstest sehr vorsichtig und nur mit einem berufenen Partner auszuführen. Ein falscher, linkischer Griff kann Schmerzen verursachen.

Das ist in der Folge die Ausgangslage, wenn von »Grundposition im Stehen« die Rede ist: Füße hüftweit auseinander, weder aus- noch eingedreht, sondern einfach im natürlichen Winkel. Knie stehen genau auf einer Linie mit den Füßen und den Hüften. Großzehengelenk belasten, die Außenseite der Ferse gut erden. Den unteren Rücken nach unten entspannen. Den Kronenpunkt am goldenen Faden zum Himmel ziehen. Gesäß entspannen, Bauch entspannen. Schultern nach nach außen und nach unten setzen.

Wenn sich der Rücken dabei anfühlt, als sei er in einem Rahmen aufgespannt, so ist das genau richtig. Lippen locker aufeinanderlegen, Unterkiefer entspannen, Zunge auf der ganzen Länge an den Gaumen legen.

IM SITZEN

Sie können auch stabil sitzen. Stabil und aktiv entspannt. Egal, ob auf Stuhl, Bank, Fauteuil, auf einem Meditationskissen oder im Schneidersitz am Boden: Wichtig ist, daß Sie auf den Sitzknochen sitzen.

Eine Übung, um Sie das Gefühl des guten Sitzens spüren zu lassen: Setzen Sie sich auf dem Stuhl ziemlich weit nach vorn. Die Füße (ohne Schuhe!) hüftweit auseinander stellen. Großzehengelenk und die Außenseite der Ferse sorgen für guten Bodenkontakt. Die Knie stehen genau über dem Mittelfuß auf einer Linie mit den Hüften. Ziehen Sie den Kronenpunkt am goldenen Faden hoch. Schultern nach hinten und außen und unten entspannen, die Hände liegen entspannt auf den

Oberschenkeln, die Handflächen zeigen zum Himmel. Ellbogen schwer nach unten fließen lassen. Das Kreuz entspannen, den unteren Rücken nach unten ins Polster fließen lassen. So paradox es im ersten Moment klingen mag: Der Rücken dehnt sich, wird effektiv länger.

Jetzt stoßen Sie die rechte Ferse senkrecht in den Boden, ohne irgend etwas an der Position zu verändern. Die Zehen bleiben entspannt, wo sie sind. Linke Ferse in den Boden stoßen.

Spüren Sie die Sitzknochen? Sie sitzen am Ende des Rückens in der Gesäßfalte, ziemlich genau in der Mitte. Wenn Sie jetzt beide Fersen in den Boden stoßen, haben Sie das Gefühl, der Oberkörper werde leicht angehoben und die Sitzknochen zueinander gezogen. Das ist auch so. Der Beckenboden macht's. Dieses anatomisch gute Sitzen allein ist schon eine Kraftübung für die Muskulatur im Kreuz, an der Taille, am Bauch. Jedesmal, wenn Sie so sitzen, arbeiten Sie an Ihrer Haltung.

Auch dazu eine Wahrnehmungsübung. Verlagern Sie das Gewicht des Oberkörpers hinter die Sitzknochen. Der Rücken wird rund, die Wirbelsäule ist im Lendenbereich gestaucht. Stoßen Sie die Ferse in den Boden — geht nicht, stimmt's?

Wer anatomisch richtig sitzt, trainiert dabei die Rückenmuskeln.

Kettenreaktion mit Rundrücken: Schultern vorn, Kinn hoch, Bauch raus.

Kettenreaktion Hohlkreuz: Brust raus, Kinn hoch, Nacken verspannt.

Powertraining für den Rücken: sitzen und aufrichten.

Jetzt lassen Sie den Oberkörper vor die Sitzknochen fallen. Das Kreuz ist hohl, das Gesäß reckt sich spitz nach hinten. Der Kopf fällt fast automatisch leicht nach hinten. Fersen in den Boden stoßen. Sie spüren zwar, wie sich die Sitzknochen leicht aufeinander zu bewegen. Die Kraft im hinteren Oberschenkel ist weg, dafür spannt die Muskulatur am vorderen Oberschenkel. Viel Aufwand, kein Ertrag.

Wieder einmitten, auf die Sitzknochen, Fersenstoßen, Kraft spüren.

Setzen Sie sich im Schneidersitz auf den Boden, und experimentieren Sie. Wenn Ihre Rücken- und Hüftmuskulatur sehr verkürzt ist, geht das (noch) nicht. Sie können sich mit einem Kissen oder einer gerollten Matte behelfen: draufsetzen und leicht nach vorn rutschen.

Noch eindrücklicher ist die Erfahrung, wenn Sie die Beine vor dem Körper anwinkeln, Füße, Knie, Hüfte auf einer Linie. Umfassen Sie die Knie mit den Armen, und ziehen Sie den unteren Rücken lang. Auch diese Position ist an sich ein Powertraining für die Rücken- und Hüftmuskulatur. Wenn Sie den ganzen Tag bei Ihrer Arbeit sitzen, so können Sie zwischendurch den Rücken so entspannen. Wenn Sie dabei den Beckenboden gut einsetzen, ist es eine Übung zum Energietanken.

IM LIEGEN

Setzen Sie sich auf eine Matte, ein doppelt gefaltetes Badetuch geht auch. Beine anwinkeln, Füße hüftweit auseinander. Stützen Sie den Oberkörper auf die Unterarme ab, und senken Sie ihn so zu Boden. Wenn Sie Rückenbeschwerden haben: Auf die Seite legen, Beine angewinkelt, vorsichtig auf den Rücken drehen.

Nun spannen Sie das Gesäß an und drücken den Rücken in die Unterlage, wie Sie das wahrscheinlich von herkömmlichen Fitneßtrainings kennen. Nehmen Sie die Spannung in Ihrem Körper wahr: Bauch hart, Rücken kurz, höchstwahrscheinlich ist der Hals kurz und breit, die Schultern zieht's nach oben. Wenn Sie einen Rundrücken machen, so fällt der Kopf höchst unbequem nach hinten, der Nacken schmerzt. Entspannen.

Jetzt die CANTIENICA®-Alternative: Leicht ins Hohlkreuz. Die Fersen senkrecht in den Boden stoßen (Fuß bleibt entspannt am Boden, Zehen nicht hochziehen!). Der Beckenboden meldet sich automatisch. Nehmen Sie das Gefühl auf, dehnen Sie es aus, über den Anus zum Steißbein hoch. Stellen Sie sich jetzt vor, Sie könnten das Steißbein zu den Fersen hin verlängern, und bringen Sie jetzt vom Steißbein her jeden Wirbel sanft auf den Boden zurück. Spüren Sie, wie sich die Wirbelsäule bis in den Kronenpunkt dehnt.

Wenn's nicht auf Anhieb klappt, ist Ihnen das Hohlkreuz wahrscheinlich längst in Fleisch und Blut, und die Muskulatur im Kreuz ist verkürzt und hart. Geduld. Üben Sie morgens im Bett, abends vor dem Einschlafen. Es lohnt sich, denn diese Grundposition sorgt für den Mehrwert bei sehr vielen Übungen für Bauch, Taille, Po und Beine in diesem Powerprogramm.

Haben Sie Schwierigkeiten, Nacken und Kopf gerade auf dem Boden aufzulegen? Legen Sie einfach ein gefaltetes Handtuch unter den Kopf. Taschenbücher sind auch dienlich: Stapeln Sie so viele aufeinander, wie Sie jetzt benötigen, um den Nacken im Liegen gedehnt zu halten. Mit fortschreitendem Training können Sie dann Buch um Buch wieder entfernen — und so Ihren Erfolg messen.

Leicht ins Hohlkreuz, Beckenboden aktivieren. Das Steißbein zu den Fersen verlängern ...

... und die Wirbelsäule sanft in den Boden fließen lassen. Lang werden bis in den Scheitel.

Mit einem Tennisball unter dem Schädel wird die Übung noch effizienter.

Besonders effizient ist dieser Trick: Legen Sie den Kopf auf einen Tennisball. Es gibt einen Punkt am Knochen der Schädelwölbung am Hinterkopf, der genau auf den Ball paßt. Zu hoch, rutscht das Kinn auf die Brust, zu tief, saust der Ball ab in den Nacken. Nehmen Sie sich die Muße, den Punkt genau zu orten. Sie haben ihn dann gefunden, wenn Sie sich richtig wohl fühlen auf dem Tennisball, wenn er weder rutscht noch drückt. (Seit ich diesen Trick für eine Migränepatientin »erfand«, weiß ich, warum Japanerinnen und Afrikanerinnen auf Holzschemelchen gut schlafen können. Und ich weiß, woher die vorbildliche Kopfhaltung der Masaifrauen rührt. Auch im hohen Alter balancieren sie anmutig und mühelos große Tragelasten auf dem Kopf. Nachahmenswert.)

Viele meiner Migränepatienten legen sich bei den ersten Anzeichen einer Attacke ein paar Minuten so auf den Rücken, Kopf auf den Tennisball, und wenden die Kopfschmerzen durch aktive Entspannung ab. Ich entspanne mich auf dem Tennisball: Nach 5 Minuten bin ich wieder energiegeladen.

Achten Sie in der Rückenlage auf Ihren Hals. Ist die Wirbelsäule optimal ausgerichtet, fühlt sich der Hals lang, schlank, leicht an. Sobald Sie das Kinn auf die Brust drücken, gibt es unschöne Falten. Mit leicht geöffnetem Mund ist die Kinnhaltung fast immer ideal.

Von Kraft und Beweglichkeit

Das Powerprogramm bringt Ihnen mehr Power für alles — Beruf, Freizeit, Sport, Spaß. Darauf kommt es letztlich an. Daran können Sie den Nutzen einer Fitneßmethode messen: Haben Sie mehr Kraft, mehr Beweglichkeit, mehr Lust auf Bewegung, mehr Energie im Alltag?

Es gibt Kraft —, und es gibt Kraft. Ich kenne Männer, die rennen fünfmal pro Woche ins Studio zum Krafttraining. Da pumpen sie die Muskeln zu imposanten Gebilden auf — und brechen zusammen, wenn sie die Einkaufstüten ein paar Treppen hoch tragen müssen. Die Kraft, die Sie mit dem Powerprogramm erarbeiten, die macht Ihnen den Alltag leichter.

Bei der CANTIENICA®-Methode für Körperform & Haltung werden alle Muskeln auf ihrer vollen Länge gestärkt und gedehnt, also vom Ursprung bis zum Ansatz und zurück. Die Bewegungen sind immer dreidimensional, also nicht auf und ab und hin und her, sondern so verschraubt, wie sie im Alltag den größten Nutzen bieten.

Die anatomische Evolution ist das einzige Kriterium, das für Sie zählen darf: Das Training muß für Sie funktionieren. Ihr Körper muß es als richtig empfinden. Die Resultate müssen sich schnell und nachhaltig einstellen. Denn für Ihren Körper gibt es nur eine Autorität: Ihren Körper. Was Sie als unangenehm empfinden, während Sie es tun, wird Sie weder schön noch fit machen.

Und deshalb können Sie entscheiden, wie sich Ihre Kraft präsentiert: Sie können »schlanke Kraft« wählen oder, wenn Sie mit leichten Gewichten arbeiten, Muskeln nach Ihrem Wunsch formen. Es ist bei den einzelnen Übungen angegeben, wie Sie die Position leicht verändern können, um Ihren Körper nach Maß zu formen.

Ein Wort zum Thema Schmerzen

Wenn Sie Kreuzschmerzen für ein Phantom halten, wenn Sie niemals Kopfschmerzen haben, wenn Sie Verspannungen in den Schultern nicht kennen, wenn Sie Ihre Hüften, Ihre Knie, Ihre Füße noch nie unangenehm gespürt haben: Sie können dieses Kapitel überspringen. Es ist für alle die geschrieben, die sich dem Powerprogramm anvertrauen, um Feinarbeit am Skelett zu machen, um aus bestehenden Schmerzzuständen zum Wohlsein zu finden.

Die Veränderung geht mit körperlichen Sensationen einher. Aus Gewohnheit nennen wir alles, was sich ungewohnt anfühlt, Schmerz. Ich möchte Sie dazu ermuntern, diesen Schmerz etwas genauer zu erfühlen: Ist es der Schmerz, den Sie kennen? Nehmen Sie den Alarm ernst. Halten Sie inne: Haben Sie die Grundposition exakt aufgebaut? Haben Sie alle Details beachtet? Horchen Sie in den Körper hinein, hören Sie ihm zu. Ich werde bei den einzelnen Übungen darauf hinweisen, worauf Sie bei welchen deformativen Erscheinungen am Skelett besonders achten sollten.

Wenn Sie die Anweisungen befolgen, können Sie sich nicht verletzen. Diese Übungen wurden ursprünglich zum größten Teil für Menschen mit Schmerzzuständen entwickelt. Sie eignen sich auch bei Bandscheibenproblemen, Skoliosen, Scheuermannscher Krankheit, sie stärken und kräftigen bei chronischen Verspannungen, verschobenen Hüften. Es ist bei schweren Arthrosen möglich, mit diesen Übungen die Haltung am Skelett zu optimieren und schmerzfrei zu leben. Hexenschuß und akute Ischiasbeschwerden sind kein Hindernis — wenn Sie das Training korrekt ausüben. Alle Übungen werden Schritt für Schritt gezeigt und erklärt. Wenn Sie verunsichert sind, weil Sie im herkömmlichen Fitneßtraining und sogar in der physiotherapeutischen Behandlung alles ganz anders lernten: Geben Sie dem Powerprogramm — wennschon, dennschon — eine faire Chance. Machen Sie es so, wie es in der Anleitung steht. Ihr Körper wird Ihnen augenblicklich Rückmeldung geben, ob es für ihn stimmt oder nicht. Wenn sich Ihr Kopf gegen das CANTIENICA®-Powerprogramm sträubt — fangen Sie lieber nicht an als halbherzig. Wollen

Sie es doch probieren, einfach um nichts unversucht zu lassen, fangen Sie mit den Grundübungen im Kapitel »Vom guten Gebrauch des Körpers« an. Integrieren Sie diese einfachen Übungen in Ihren Alltag. Sie programmieren damit den Körper neu. Wenn Sie sich an die neuen Haltungsmuster im Liegen, Sitzen, Stehen gewöhnt haben, werden Sie sich mit dem Powerprogramm anfreunden. (Wenn auch das nichts nützt: Lassen Sie bitte keine Schuldgefühle aufkommen, schenken Sie das Buch einfach weiter.)

Zurück zum Thema Schmerzen: Ist es Entwicklungsschmerz, Kraftschmerz, Neumuskelschmerz, Heilungsschmerz, vielleicht sogar Wohlweh? Weitermachen. Lassen Sie sich auf den Dialog mit Ihrem Körper ein. Er ist spannend, lehrreich und schenkt Ihnen Selbstvertrauen.

Ist es Akutschmerz, Nervenschmerz, Entzündungsschmerz, Umhimmelswillenschmerz? Aufhören. Ein paar Stunden abwarten. Verflüchtigt sich der Schmerz, können Sie wieder trainieren. Halten Sie sich sorgfältig an die Beschreibungen. Bleibt der Schmerz, so stimmt etwas nicht. Den Arzt konsultieren und die Verletzung gut auskurieren, bevor Sie mit dem Powerprogramm arbeiten. Relativ häufig ist der Schmerz der Übertreibung: Mehr vom Guten ist nicht besser, im Gegenteil. Die Muskeln, Sehnen und Bänder brauchen Ruhepausen, um sich zu erholen. Während sich die Experten und Sportphysiologen über die idealen Intervalle streiten, empfehle ich Ihnen auch hier: Fragen Sie Ihren Körper. Es gibt nicht nur einen erfolgreichen Weg.

Ich trainiere jeden dritten Tag ungefähr eine Stunde. Will ich Beweglichkeit oder Kraft einer ganz bestimmten Muskelgruppe steigern, so arbeite ich an drei, maximal fünf aufeinanderfolgenden Tagen 20 Minuten gezielt an dieser Herausforderung. Dann verlangen die Muskeln mindestens drei Tage Ruhe.

Viele Menschen haben mit zwei Stunden pro Woche die besten Resultate. Drei Trainingsstunden sind ebenfalls okay.

Wer schnell Erfolge erreichen möchte, kann auch mal an fünf Tagen hintereinander trainieren, für drei, vier Wochen ist das in Ordnung. Konzentrieren Sie sich jeden Tag auf einen anderen Baustein, zum Beispiel:

1. Tag exakter Aufbau der Position
2. Tag Kraftgewinn
3. Tag Entspannung
4. Tag Dehnung
5. Tag geschmeidige Übergänge von Übung zu Übung

Mindestens zwei Tage Pause. Wer über lange Zeit (Monate, Jahre) täglich trainieren möchte, soll sich dafür den Segen des Arztes einholen, ich gebe ihn ungern ... von Abhängigkeit zu Sucht ist ein kleiner Schritt.

Im Umgang mit Schmerzen wird Ihnen diese Checkliste weiterhelfen. Und die Warnung: Menschen mit Skoliose, Rundrücken, Flachrücken, Diskushernien, Hüftschiefstand, mechanischen Störungen am Ischias- oder anderen Nerven (»Hexenschuß«) müssen die Grundpositionen verstehen, bevor sie sich ans Powerprogramm machen. Die Übungen sind absolut sicher und an Hunderten Menschen mit Rückenproblemen erfolgreich erprobt. Halten Sie sich genau an die Anleitungen, so ist Ihnen der Erfolg sicher. Vollständig kann die Liste nicht sein. Wenn ein ärztlicher Befund feststeht, holen Sie sich selbstverständlich den Rat des Arztes, ob das Powerprogramm für Sie geeignet ist.

IM RÜCKEN

- Muskeln fühlen sich verkürzt und verkrampft an: dehnen
- Messerscharfer, einseitiger Schmerz im Kreuz: Rückenlage sorgfältig aufbauen und dehnen. Wenn das nicht sofort entlastet und der Schmerz bleibt: zum Arzt zur Untersuchung.
- Muskeln fühlen sich gedehnt und langgezogen an: weitermachen
- Ausgewachsener Muskelkater am Beckenboden: stolz sein und weitermachen
- Schmerzen zwischen den Schulterblättern, verbunden mit dem Gefühl von mehr Weite, mehr Atem: weitermachen
- Kribbeln in den Beinen oder Armen: aufhören,

Grundposition noch mal sorgfältig aufbauen und vor allem: in die Position entspannen, entspannen, entspannen.
- Spannen Sie in Rückenlage das Gesäß an und drücken den Rücken auf die Unterlage?
- Spannen Sie in Rückenlage den Bauch an?
- Kippen Sie im Stehen das Becken nach vorn oder nach hinten?
- Drücken Sie die Rippen vorn hoch?
- Ziehen Sie die Schultern hoch?
- Stauchen Sie den Nacken?
- Sind die Schultern angespannt?
- Drücken Sie im Stehen die Knie voll durch?
- Belasten Sie die Füße richtig?

IM NACKEN

- Migräne, Spannungskopfschmerzen, chronische Kopfschmerzen: zum Arzt für eine Abklärung der Ursachen. Besonders viel Aufmerksamkeit auf die anatomisch gute Kopfhaltung verwenden (mein Buch und das Video »Faceforming« behandeln das Thema ausführlich).
- Wer den Kopf und so chronisch die Halswirbel staucht, wird dehnende Sensationen im Nacken spüren. Das ist okay. Dehnend, nicht reißend.
- Wenn die äußeren Muskeln vorn am Hals oder im Nacken spannen, verhärten, reißend schmerzen: entspannen, entspannen, entspannen. Die Dehnung der Halswirbelsäule muß von den inneren Muskeln ausgehen, von den sogenannten autochthonen Muskeln unmittelbar um die Wirbel herum.
- Eine bewußt spürbare Dehnung hinter dem Ohr ist ein gutes Zeichen. Sie sind auf dem besten Weg.
- Ein zarter Zug vom Ende des Unterkiefers zum Schlüsselbein ist ebenfalls ein gutes Zeichen. Dranbleiben, aber nicht forcieren.
- Schmerz an der Schädelbasis: Kopf beim Training mit Tuch oder Büchern unterlegen, bis die Halswirbel gerade sind.

IN DEN SCHULTERN UND ELLBOGEN

- Dehnendes, weitendes Ziehen zwischen den Schulterblättern: weitermachen
- Stechender, jäher Schmerz einseitig unter einem Schulterblatt: Armkugeln und Schulter noch aufmerksamer nach außen setzen.

- Zug vom Ohr zum Schulterblatt: positive Dehnung. Zwei Tage ruhen, dann vorsichtig und aufmerksam weitermachen.
- Während der Armübungen Kribbeln im Ellbogen oder in den Fingern: Wahrscheinlich ziehen Sie die Schultern hoch und reizen so einen Nerv. Den Raum zwischen Schulterdach und Oberarmkugel vergrößern, indem Sie die Armkugeln entspannen und die Ellbogen auseinanderziehen.

IN DEN RIPPEN/IM BRUSTKORB

- Dehnung im Brustbein: positiv.
- Sensationen um den unteren Rippenbogen: Muskelkater von den Bauchübungen
- Verspannungen im Brustkorb: Rippen bewußt nach unten und leicht nach hinten entspannen.
- Muskelkater um die Rippen genau auf Brusthöhe (vorn und hinten): wunderbar. Der Rücken richtet sich auf, die Brustwirbelsäule wird durch die anatomisch richtigen Drehungen mobilisiert.
- Schmerzen in der Brust, vor allem links: beim Arzt abklären.
- Unabhängig vom Training plötzlich auftretendes Stechen in den Rippen genau über dem Herzen, das Gefühl, nicht mehr atmen zu können: kann »unspezifischer Brustwandschmerz« sein, ein typisches Streßsymptom bei Frauen, sagt mein Hausarzt. Beherzt unter die Brust in die Rippen fassen und den Muskel massieren.

IN DEN HÜFTEN/HÜFTGELENKEN

- Knochen- oder Gelenkweh: Der Beckenboden ist noch nicht kräftig genug.
- Schmerzen im Kreuzbein: auf den oberen Rücken achten. Wenn er nicht aufgespannt ist, übt er Druck auf die Lendenwirbel aus. Erste-Hilfe-Dehnungen machen.
- Ziehen in den Leisten: positiv. Hüftbeuger und Darmbeinmuskel werden gedehnt. Ist der Schmerz stark, mindestens zwei Tage pausieren und dann wieder sanft dehnen.

IN DEN HANDGELENKEN/FINGERN

- Wenn kein medizinischer Befund vorliegt: Schultern/Armkugeln bewußt nach außen-unten entspannen.
- Ellbogen entspannen.

IN DEN BEINEN/KNIEN

- Sind Fuß, Knie, Hüften in einer Linie ausgerichtet?
- Haben Sie X-Beine oder eine Tendenz dazu? Beckenboden kräftigen und dann weitermachen.
- Drücken Sie die Knie bei einzelnen Übungen nach außen?
- Krampf an den Waden: Zehen entspannen, Fuß entspannt flexen. Hilft fast immer … Wenn nicht: entspannen, pausieren, sorgfältig die Grundposition aufbauen.
- Belasten Sie den Fuß richtig? Großzehengelenk und Außenseite der Ferse.
- Nach Meniskusoperationen: Muskulatur um das Knie und Beckenboden gezielt kräftigen (Fersenstoßen, kleine Beinschere).
- Alle Übungen im Knien auslassen, bis die Muskulatur genügend »vorgekräftigt« ist.
- Diffuse Schmerzen beim Stehen: Knie lockern, Füße gut ausrichten.

IN DEN FÜSSEN/FUSSGELENKEN/FERSEN

- Schmerzen am Hallux valgus: Die Übungen erst im Stehen machen, wenn die Muskulatur der Füße »vortrainiert« ist.
- Schmerz im Fersenbein: Fuß ausrichten, Fersenbein aufrichten. Stellen Sie sich vor, Sie ziehen eine delikate Strumpfnaht am Bein hoch, bis in die Gesäßfalte.
- Schmerzen am Fußgelenk: Kontrollieren, ob Sie den Fuß zu sehr außen belasten. Ziehen Sie in der Vorstellung das Sprunggelenk zum Beckenboden hoch.
- Wenn Sie deutliche Deformationen der Füße haben, müssen Sie die Ausrichtung der Füße gezielt trainieren. Ich empfehle Ihnen das Video »Füße« von Dr. med. Christian Larsen (Spiraldynamik International, CH Bern, Fax: 0041-(0)31-972 55 77).

Bevor Sie beginnen — der Anfang vom Anfang

Das CANTIENICA®-Powerprogramm hat einen Nachteil: Sie können nicht einfach drauflosschusseln und hoffen, es komme schon alles gut. Sorgfalt ist der halbe Erfolg. Sie müssen sich die Zeit nehmen, um die Grundlagen zu verstehen. Ab da bringt Ihnen das CANTIENICA®-Powerprogramm nur Vorteile: intelligente Fitneß nach Maß. Sehr schnell und absolut sicher zu sichtbaren, fühlbaren Resultaten.

Gleichzeitig lernen Sie Ihren Körper, Ihre Körperintelligenz kennen. Sie werden die Sprache Ihres Körpers verstehen, lernen täglich etwas Neues, Aufregendes. Spuren, die an meine Skoliose erinnern, findet heute nur noch der begabte Orthopäde. »Der Scheuermann« wird immer geschmeidiger, ich weiß, ich bringe ihn ganz weg. An die Hüftgelenkarthrose erinnere ich mich vage, und manchmal, wenn ich beim Bergrunterlaufen den Beckenboden nicht optimal einsetze. Ich heiße das erste Schmerzsignal willkommen und ändere meine Körperhaltung — sofort und am Ort. Und bin sofort am Ort wieder schmerzfrei. Ich liebe diese

Freiheit und investiere das bißchen Zeit gern, die's dafür braucht.

Auch Sie sind fortan nicht mehr auf Massagen, Therapien und Torturen angewiesen, weil Sie sich jederzeit selber helfen können. Überall. Die Übungen, die sich als Erste Hilfe besonders eignen, sind im Programm entsprechend bezeichnet.

Noch einmal die Bitte: Nehmen Sie sich Zeit für die Texte. Arbeiten Sie mit diesem Buch. Markieren Sie besonders wichtige Passagen mit Buntstift, zeichnen Sie auf den Fotos ein, worauf Sie besonders achten möchten oder sollten. Falls Sie zu den »Bücherpuristen« gehören, die Patina mit Verwüstung gleichsetzen: Ich verstehe, wenn Sie die Luxusausgabe von Goethes Faust von Kaffeeflecken fernhalten möchten. Schonen Sie dieses Powerprogramm nicht. Je mehr Sie reinkritzeln, Notizen machen, Strichmännchen zeichnen, Erfahrungen festhalten, um so mehr wird es Ihr Buch, Ihr Programm.

Schnupperkurs in Körperevolution

Anatomisch richtig — was heißt das?
Mal salopp gesagt: Der aufrechte Gang des Menschen ist eine Meisterleistung. Jedes gesunde Kind vollbringt diese Meisterleistung, wenn es sich auf die Beine stellt. Es richtet die Füße automatisch anatomisch richtig aus. Die Beine sind perfekt verschraubt. Die Wirbelsäule ist lang und gerade. Der Kopf thront hoch. Die Schultern und Arme sind frei — oder haben Sie je ein Kleinkind mit verspannten, hochgezogenen Schultern gesehen? Die Muskeln machen ihr Handwerk natürlich richtig, ein bißchen unsicher, aber anatomisch gut. Wäre der junge Mensch umgeben von erwachsenen Bewegungskünstlern, würde die Sicherheit bleiben.

Indes: Die meisten Vorbilder — Geschwister, Eltern, Schulfreunde — sind von der Idealanatomie mehr oder weniger weit abgedriftet. So schnell wie das Kind lernt, so schnell verlernt es durch die Imitation. Mit der kopierten Haltung kopiert es auch die Haltungsschäden. Die Tochter eignet sich das Hohlkreuz an, wie vor ihr die große Schwester, die Mutter, die Großmutter, die Tante. Und was die Vorbilder in der Familie nicht ruinieren, das schaffen die Idole aus Pop, Rock, Film und Werbung: die hochgezogenen Schultern, der schlaksige Gang, der vorgereckte Kopf ... sieht anfangs auch lässig

aus, hinterläßt mit den Jahren Verwüstungen am Körper. Diese Spuren unökonomischer Haltung können getilgt werden — vorausgesetzt, Sie können das anatomisch gute Muster als richtig, gewinnbringend und schön annehmen. Diese positive Einstellung müssen Sie mitbringen — den Rest besorgt das Powerprogramm. Da aller Anfang schwer ist, hier noch ein Set einfacher, leicht nachzuvollziehender »Einsteigerübungen«.

Drei vorbereitende Übungen mit Sofortwirkung

DAS KRAFTFELD BECKENBODEN

Auf dem Stuhl an den vorderen Rand rutschen. Kronenpunkt zum Himmel hochziehen. Armkugeln nach außen-unten entspannen. Das rechte Bein so weit vorstrecken, bis Sie die Ferse bequem aufsetzen können. Das Knie muß gebeugt bleiben. Zehenspitzen möglichst senkrecht in die Luft (siehe Foto). Hände ruhen entspannt auf den Oberschenkeln, Handflächen nach oben. Ferse senkrecht in den Boden stoßen. So aktiviert sich der Beckenboden, wie er im Powerprogramm eine Hauptrolle spielt, von selbst. Druck halten, Oberkörper gerade nach vorn lehnen und so bleiben. Druckimpulse durch die Ferse wiederholen, so oft Sie mögen. Je häufiger, desto besser. Bein wechseln.

Nach zwei, drei Tagen können Sie die Übung mit beiden Beinen/Fersen gleichzeitig machen. Es fühlt sich an, als säßen Sie in einem richtigen strammen Höschen, an der Basis des Gesäß spüren Sie intensive Power, die Gesäßmuskulatur ist entspannt. Dieses Gefühl holen Sie ab, wenn es in den Powerübungen heißt: Beckenboden aktivieren.

DER KRAFTPUNKT AM RÜCKEN

Bei allen Übungen für den Oberkörper wichtig: Nacken entspannen. Schultern nach unten-außen setzen, so weit es geht. Kronenpunkt zum Himmel ziehen. Wieder entspannen.

Eine Übung zur Kontaktnahme mit dem Beckenboden: Fersenstoßen im Sitzen.

Beckenboden aktivieren. Beine anwinkeln und auseinanderziehen, bis Sie den Kraftpunkt am Rücken »finden«.

Der Kraftpunkt liegt zwischen den Schulterblättern. Zum Aktivieren die Ellbogen auseinanderziehen.

In dieser optimal aufgespannten Position mit entspannten, anatomisch richtig plazierten Schultern ist ein Kraftpunkt am Rücken zu spüren: Er liegt an der Kreuzung von Riemenmuskel, Schulterblattheber, Dornmuskel, in der unteren Spitze des Kapuzenmuskels (Trapezius). Von hier fließt der Tonus in die Arme und in die Brustmuskeln.

Mit diesem Grundtonus bringen die Arm-, Schulter- und Brustübungen optimalen Nutzen. Wenn Studenten »zu wenig spüren«, so liegt das fast immer daran, daß sie die Schultern nicht zurückgesetzt haben oder die Position nicht halten können und so den Kraftpunkt im Rücken nicht spüren.

Gehen Sie in die gleiche Position wie beim Kraftfeld Beckenboden beschrieben, mit vorgelehntem Oberkörper. Arme angewinkelt auf Schulterhöhe seitlich ausstrecken, Handflächen ausdrehen (der Daumen dreht sich zum Kleinfinger). Armkugeln entspannen. Jetzt stellen Sie sich vor, die Ellbogen würden von unsichtbaren Händen auseinandergezogen, der linke nach links, der rechte nach rechts. Verstärken Sie diesen Zug, bis Sie zwischen den Schulterblättern den Kraftpunkt klar spüren.

Arme entspannen, aufrichten. Bei Leistungsabfall im Büro gibt Ihnen diese Übung einen Energieschub: 20, 30 Sekunden halten, mehr braucht's nicht.

DAS KRAFZENTRUM AM HINTERKOPF

Entspannt sitzen, Füße hüftweit auseinander. Mit leichtem Fersenstoßen den Beckenboden aktivieren. Kinn entspannen, Mund leicht öffnen, Zunge möglichst weit hinten flach an den Gaumen legen. Hände an den Hinterkopf legen. Kopf aus dem Hals zur Decke »schieben«. In der maximalen Dehnung den Hinterkopf in Richtung Scheitelpunkt massieren.

Massieren Sie den Hinterkopf Richtung Kronenpunkt, um das Kraftzentrum am Kopf zu wecken.

AUFSPANNUNG DER WIRBELSÄULE

So. Jetzt sind Sie ausgerüstet, um zu verstehen, was mit der Aufspannung der Wirbelsäule gemeint ist: Beckenboden mit dem Fersenstoßen aktivieren, Kopf hoch. Dazwischen ist die Wirbelsäule lang, gedehnt, aufgespannt. Es gibt keinerlei Reibung, die Bandscheiben werden nicht gequetscht. Die kleinen verstrebten Muskeln an und um die Wirbel werden durch dieses Aufrichten optimal trainiert. Falls Sie jetzt stöhnen: »Aber so kann ich doch nicht sitzen«: Doch, Sie können. In drei Wochen können Sie gar nicht mehr anders.

DIE HOHE SCHULE DER ENTSPANNUNG

Powerprogramm und Entspannung — kein Widerspruch. Im Gegenteil. Entspannung erlaubt Sammlung. Gesammelte Power ist potenzierte Power.

Wenn Sie die Wirbelsäule aufspannen und gleichzeitig die Armkugeln, die Schultern, die Rippen, die Arme, die Hände, den Bauch entspannen, werden Sie eine herrliche Leichtigkeit spüren. Entspannen Sie auch den Atem, lassen Sie ihn einfach kommen und gehen, wie es ihm gefällt.

Anfangs ist es für alle schwierig, der Aufforderung »entspannen« nachzukommen. Da muß so vieles beachtet werden. Das ist ganz natürlich, lassen Sie sich davon nicht stressen. Schon beim dritten Training schaffen Sie es: Entspannen. Während der Beckenboden mit dem Bauch arbeitet, entspannt sich der übrige Körper vollkommen. Mit dem Nebeneffekt des Energietransfers: Die arbeitenden Muskeln haben alle Energie zur Verfügung, weil keine durch überflüssige Anspannungen und Verkrampfungen verpufft. Diese Aufmerksamkeit ist ein kleiner Preis für den aufrechten Gang.

Der Baukasten

Kreieren Sie Ihr eigenes Programm

Sie lernen in diesem Buch 42 Übungen aus dem CANTIENICA®-Programm für Körperform & Haltung kennen. Sobald Sie mit der Methode vertraut sind, werden Sie diese ganze Abfolge spielend in 60 Minuten absolvieren.

Zum Einsteigen empfehle ich Ihnen das **K**urzprogramm von 20 Minuten Dauer. Die Übungen sind mit **K** bezeichnet. Befolgen Sie dieses Programm während der ersten Woche, dreimal sind ideal. Ab der zweiten Woche können Sie Übungen nach Lust und Laune zufügen. Kraftübungen (für den Muskelaufbau) sind mit **P** wie **P**ower markiert, Übungen für die Beweglichkeit erkennen Sie am fetten **S** wie **S**tretching. Sie erfahren in jedem Übungskapitel, wie viele Übungen aus der Gruppe **P** und der Gruppe **S** ich empfehle.

Vom Segen der Abwechslung

Gewohnheiten sind gemütlich — und sie verführen zur Nachlässigkeit. Am Anfang sind Sie mit den Grundpositionen und den dreidimensionalen Bewegungen vollauf beschäftigt. Das ist gut so. Sobald Sie die Übungen beherrschen, können Sie variieren, spielen, steigern. Das macht Spaß und ist herausfordernd. Außerdem steigert das sogenannte Crosstraining die Wirkung: Die Muskeln werden ganzheitlich gestärkt, die Beweglichkeit wird umfassend, wenn Sie »bewegt« trainieren. Deshalb finden Sie bei allen geeigneten Übungen Tips, wie Sie die Position, die Bewegung, die Wirkung verändern können. Beispiel: Sie können die Arm- und Brustübungen im Stehen, Sitzen oder Liegen ausführen, statisch oder in Bewegung. Jede Variante hat ihre ganz spezifischen Vorteile:

- Im Liegen dient die Unterlage als Führung, Sie können mit dem Rücken nicht ausweichen.
- Im Sitzen werden die stützenden Rückenmuskeln automatisch mittrainiert, und der Beckenboden ist besonders gefordert.
- Im Stehen arbeiten Sie an der optimalen Ausrichtung der Glieder und Gelenke, Stabilität und Haltungsbewußtsein verlangen eine Extraportion Aufmerksamkeit. Die Abwechslung an sich fordert auch Ihren Geist, durch die Konzentration wird das Training zur Meditation.

Beckenboden aktivieren. Kopf nach hinten-oben. Schultern nach außen-unten. Kleinfinger zum Daumen drehen.

Im Profil und mit Hanteln: Schultern nach außen-unten, damit die Übung das Richtige bringt.

Keine Hilfsmittel notwendig

Das CANTIENICA®-Powerprogramm ist so aufgebaut, daß Sie keine umständlichen Hilfsmittel wie
Sprossenwände, Türrecks, Balletstangen und
dergleichen brauchen. Eine bequeme Unterlage
(Fitneßmatte, Frottiertuch, Teppich) reicht aus.

Wenn Sie die Möglichkeit haben, vor einem großen
Spiegel zu arbeiten: Tun Sie es! So können Sie aus
der Formel »ökonomisch gleich ästhetisch« am
meisten herausholen. Wenn Sie unsicher sind, ob
die Position für Sie, Ihr Wohlsein und Ihre Schönheit arbeitet: Schauen Sie in den Spiegel. Es ist immer die schöne Variante, die Ihnen guttut.

Mit Leggings und einem bequemen Trainingsbody
sehen Sie im Spiegel, ob Sie aufgerichtet sitzen.
Enganliegende, bequeme Kleidung bewährt sich,
einfach, weil Sie so besser sehen, was Sie mit Ihrem
Körper machen. Socken ja, Turnschuhe nein. Zu
Hause trainiere ich am liebsten barfuß, so kann ich
auf die anatomisch gute Fußstellung achten.

Für Kraft ohne Masse absolvieren Sie die Übungen
ohne Hanteln. Wenn Sie an ganz bestimmten
Stellen Muskeln aufbauen möchten — Brust, Arme,
Rücken — so haben Sie beim Powerprogramm die
Möglichkeit dazu. Beginnen Sie mit maximal
500g-Hanteln, steigern Sie allmählich auf 1 kg. Ich
trainiere einmal mit, einmal ohne. Die Übungen,
die sich zum **H**anteltraining eignen, sind mit **H** wie
Hantel versehen.

Schritt für Schritt

Von Sohle bis Scheitel

FUSSHALTUNG

Anatomisch richtig stehen: Den Fuß gerade ausrichten, die Zehen dabei weder nach innen, noch
nach außen forcieren. Das Großzehengelenk und
die Außenseite der Ferse haben guten Bodenkontakt. Dadurch bekommt das Sprunggelenk automatisch mehr Raum, es richtet sich auf, wird
sprungbereit. Das Längsgewölbe des Fußes ist jetzt
dynamisch verschraubt, mit aufgerichtetem
Fersenbein.

In einem zweiten Schritt »rollen« Sie das Großzehengelenk und das Kleinzehengelenk von den
Seiten her zueinander, als wollten sich die große
und die kleine Zehe anschauen. Es ist eine zarte
Bewegung, etwas mehr als die reine Vorstellung,
also kein Verrenken des Fußes. Es geht nur darum,
die Power des Fußes wieder zu entdecken: Die
wichtigen Muskeln sind an der Fußsohle, am Quer-
und am Längsgewölbe. Diese Punkte sind bei fast
allen Menschen eine schlafende Muskellandschaft
und immer ein wichtiger Mitgrund, wenn sich
Füße spreizen und senken. Durch die neue Aufmerksamkeit in der Fußhaltung aktivieren Sie die
wichtige Muskulatur an der Sohle, und Sie können
das sogenannte Quergewölbe spüren: Hinter dem
Zehenballen der mittleren Zehe macht sich eine
kleine Nische bemerkbar.

Die ideale Ausrichtung der Füße hilft bei Deformationen der Füße, also bei Hallux valgus, Senk-,
Spreiz-, Knickfuß, bei Hammerzehen und Hohlfuß.

AUSRICHTUNG BEINE

Beim Trainieren bilden Fuß, Knie und Hüfte eine
Linie. Die Knie sind immer entspannt (also nie voll
durchgedrückt). Mit ausgerichteten Füßen und
aktivem Beckenboden ist diese Optimallinie bei X-
Beinen und O-Beinen schon eine Trainingseinheit.
Auch eingedrehte Hüftgelenke profitieren von
dieser Grundhaltung: Durch den Einsatz des
Beckenbodens wird die Muskulatur der Oberschenkel anatomisch richtig aktiviert. Sie richtet
den Oberschenkelknochen neu aus und stabilisiert
durch die leichte Außenrotation die Hüftgelenke.

AUSRICHTUNG RÜCKEN

Die meisten Verspannungen sitzen in den Lenden-
wirbeln, also im Kreuz. Sobald der Beckenboden
den Beinen die Last abnimmt und den Rücken
stabilisiert, können Sie im Kreuz loslassen: Stellen
Sie sich vor, das Steißbein sei goldschwer, und
lassen Sie es nach unten fließen, als tropfe das
Gold auf den Boden. Diese simple kleine Übung
dehnt die verkürzte Muskulatur am unteren
Rücken. Sie entspannt und entlastet den Torso.

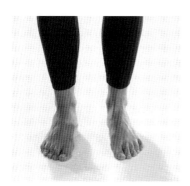
Anatomisch gut ausgerichtete Füße.

Ausgedrehte Füße belasten Knie und
Hüftgelenke ...

... genau so wie nach innen verdrehte.

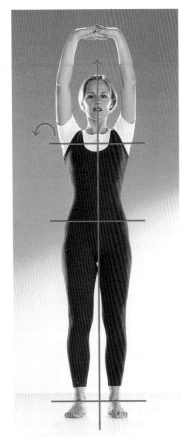

Der Beckenboden: Stabilität für den ganzen Körper.

Instabil: Das Becken nach hinten gekippt.

Stabil: Das Becken optimal auf- und ausgerichtet.

AUFRICHTUNG BECKEN

Aus dem langen, entspannten Rücken auf den ausgerichteten Beinen können Sie das Becken aufrichten: Stellen Sie sich vor, Sie rollen das Schambein ganz zart zum Nabel hoch. Achtung: Es ist ein Einrollen aus der Länge. Sie müssen spüren, wie die Taille lang und offen bleibt, der Bauch fühlt sich lang und flach an, die Rippen sind entspannt. Sobald Sie sich im Rücken, in der Taille oder im Bauch kurz fühlen, sind Sie vom Weg abgekommen. Anhalten und neu anfangen.

Übung: Stellen Sie sich in einen Türrahmen. Füße hüftweit auseinander. Die Arme reichen nach hinten und halten den Rahmen. Nach vorn lehnen. Rücken nach unten fließen lassen. Beckenboden aktivieren. Becken aus dem Beckenboden zart aufrichten. Halten. 5 x wiederholen.

AUSRICHTUNG SCHULTERN, ARME

Füße, Beine, Becken, Hüfte, Kreuz sind stabil ausgerichtet. Sie können diesem soliden »Unterbau« vertrauen und – den Oberkörper entspannen. Entspannen Sie die Armkugel, um die Schultern zu entlasten. Wenn es Ihnen schwerfällt: Der Trick mit Gold klappt auch hier. Stellen Sie sich vor, Ihr Ellbogen bestehe aus sehr besonders »schwerem« Gold, und lassen Sie diese Schwere die Ellbogen nach unten ziehen.

Sobald die Armkugel »aus dem Weg« ist, kann das Schulterdach nach hinten-außen-unten fließen. Jetzt ist der Arm bewegungsfrei. Mit dieser Ausgangsstellung finden Sie auch den Kraftpunkt im Rücken ganz leicht. Wichtig für Frauen: Allein diese gute Grundhaltung tonisiert den Muskel, der als natürlicher Büstenhalter fungiert.

Schon die Grundposition macht schön: Optimale Haltung der Schultern, nach außen-unten ausgerichtet.

Mit hochgezogenen Schultern rundet sich der Rücken. Alles wirkt »kurz«. Der Busen fällt ein.

Schultern hochgezogen, Brust eingefallen, Busen schlaff. Taille verschwindet, Bauch steht vor.

Wirbelsäule gedehnt. Brustmuskel in Aktion. Hals lang und schlank. Taille gestreckt.

Frauen mit großen Busen haben sehr oft eine eingefallene Brust, die Schultern sind hoch und nach vorn gezogen, der Brustmuskel (Pectoralis inferior) ist erschlafft. Mit der Zeit wird der obere Rücken rund, Probleme mit der Wirbelsäule sind nur noch eine Frage der Zeit.

Versuchen Sie, während des Tages möglichst oft den Oberkörper anatomisch gut aufzurichten, der Alltag ist der beste und effizienteste Übungsplatz.

AUFHÄNGUNG KOPF

Kopf hoch, hoch, hoch. Sie können ihn gar nicht hoch genug tragen. Durch den Halt, den Sie aus dem kräftigen, aktiven Beckenboden für Ihren ganzen Körper gewinnen, können Sie die Wirbelsäule in jeder Lebenslage dehnen — bis in den Kronenpunkt. Wenn Sie diese Dehnung mit dem Kopf steuern, spüren Sie genau, wie weit Sie an

Kopf hoch, Kinn entspannt, Schultern optimal ausgerichtet.

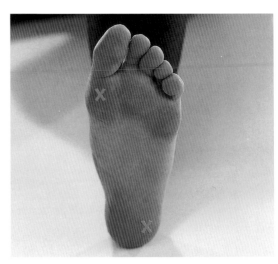

Auf den beiden Punkten (**x**) »steht« ein ideal belasteter Fuß.

diesem Tag gehen können (morgen werden es wieder 2 mm mehr sein). So schaffen Sie zwischen den Wirbeln Raum, die Bandscheiben werden nicht gequetscht, Hexenschuß und Ischias haben keine Chance, Ihnen das Wohlgefühl zu verderben, weil die Nervenbahnen frei liegen. Sie ermüden viel weniger schnell, die Durchblutung ist besser, das Rückenmark kann seine Präzisionsarbeit leichter verrichten.

Ganz wichtig ist: Der Kopf gehört nach hinten-oben ausgerichtet. Das Kinn ist entspannt, der Mund leicht offen, die Zunge legen Sie hinten-oben an den Gaumen. Falls Sie, wie das besonders bei Frauen unter 1,70 m häufig der Fall ist, den Kopf aus Gewohnheit mit dem Kinn steuern, sind die Halsmuskeln vorn überdehnt, die Muskeln im Nacken dagegen verkürzt, die Haut am Hals vermutlich ziemlich schlaff, ohne Muskeltonus.

Diese Grundhaltung staucht die Wirbelsäule den lieben, langen Tag. Wenn Sie nicht sicher sind, wie Sie den Kopf halten: Bitten Sie eine Freundin, Sie zu beobachten: Wie telefonieren Sie? Wie sitzen Sie am Pult, am Tisch? Wie halten Sie den Kopf, wenn Sie mit einer Person sprechen, die Sie an Länge überragt? Haben Sie oft Spannungskopfschmerzen? Leiden Sie unter Migräne? Schmerzt Ihr Nacken nach einem langen Arbeitstag? Ist der obere Rücken rund? Steht der 1. Brustwirbel beim Übergang vom Nacken in den Rücken wie ein

erhöhter Knollen hervor? Das alles sind Anzeichen für »chronische Kinnsteuerung« in Ihrer Haltung. Ersetzen Sie die Gewohnheit durch den neuen, guten Gebrauch des Kopfes. (Falls es Ihnen schwerfällt, die anatomisch richtige Kopfhaltung zu finden: Ich habe dem Thema ein ganzes Buch gewidmet: »Faceforming« erscheint ebenfalls im Verlag Gesundheit.)

Vielen Menschen erleichtert dieses Bild den Zugang zur optimalen Kopfhaltung: Stellen Sie sich vor, vom Kronenpunkt, dem höchsten Punkt an Ihrem Kopf, führe ein goldener Faden zum Himmel. An diesem goldenen Faden wird Ihr Kopf zart und leicht nach oben gezogen. Schultern entspannen, Brustbein entspannen, Rippen entspannen.

GRUNDPOSITION STEHEN

Füße hüftweit auseinander parallel (aber nicht eingedreht) ausrichten. Das Großzehengelenk und die Außenseite der Ferse gut am Boden verankern (Bild). Außenseite, nicht die Außenkante. Das ist beim linken Fuß ein bißchen links von der Mitte des Fersenhügels, beim rechten Fuß entsprechend rechts.

Das Knie ist entspannt, also weder durchgedrückt noch gebeugt, einfach nur entspannt und bereit für den nächsten Schritt. Beckenboden aktivieren und über den Anus zum Steißbein hochziehen. Den unteren Rücken gleichzeitig nach unten fließen lassen. Das entspannt, dehnt und aktiviert das Kraftfeld am Steiß. Kopf hoch, wie beschrieben. Atmen Sie in die Wirbelsäule, langsam, von unten bis zum Kronenpunkt. Falls Sie sich im Fitneßtraining die aufwendige Stoß- und Brustatmung angewöhnt haben, wie sie vielerorts empfohlen wird: Versuchen Sie mal die »Atmung light«: Mund leicht offen, Zunge am Gaumen, die Luft einfach einfließen lassen, durch Mund und Nase, wie es ihr gefällt, und einfach herausfließen lassen . . .

GRUNDPOSITION SITZEN

Auf den Sitzknochen, Füße hüftweit auseinander, entspannt parallel ausgerichtet. Kontakt mit Großzehengelenk und Außenseite der Ferse. Fuß, Knie, Hüfte bilden eine Linie. Beckenboden aktivieren, über den Anus zum Steißbein hochziehen, dabei verlängert sich der Rücken von selbst nach oben. Kronenpunkt am goldenen Faden ausrichten und alle Horizontalen am Körper entspannen: Schultern, Armkugeln, Brustkasten, Rippen, Hüften. Den unteren Rücken nach hinten-unten fließen lassen. Leicht und luftig in die Große Vertikale — die Wirbelsäule — atmen.

Auf den Sitzknochen, Wirbelsäule aufgerichtet: optimal sitzen.

GRUNDPOSITION LIEGEN

Auf den Boden setzen. Beine angewinkelt. Erst auf den einen Unterarm abstützen, dann auf den anderen, den Rücken so auf den Boden bringend. Noch schonender bei Rückenbeschwerden ist Variante 2: hinsetzen, auf die Seite legen und aus dieser Seitenlage auf den Rücken fließen.

Leicht ins Hohlkreuz. Beckenboden aktivieren. Das Steißbein zu den Fersen »verlängern«, vom Steiß zum Nacken langsam, bewußt und aufmerksam einen Wirbel um den anderen in den Boden fließen lassen. Wiederholen, bis diese Grundübung sitzt.

Grundposition liegend: lang, leicht, anatomisch richtig.

Gebrauchsanweisung

Machen Sie sich zuerst gründlich mit der Grundhaltung und den Grundpositionen vertraut. Und bitte, unterschätzen Sie den Trainingseffekt dieser vorbereitenden Übungen nicht! Selbst gestandene, muskelgestählte Männer reagieren mit Muskelkater, wenn sie zum erstenmal für zehn Minuten anatomisch richtig sitzen! Sobald Sie die Grundpositionen beherrschen, haben Sie die fundamentalen Elemente der CANTIENICA®-Methode für Körperform & Haltung verstanden. Jetzt können Sie sicher sein, aus dem Powerprogramm das Maximum herauszuholen.

Ich empfehle Ihnen zum Einsteigen ins Power-training das Kurzprogramm. Falls Ihnen das bereits zu schwierig erscheint: Die Gruppe 6 »Aufrichtung, Haltung, Geschmeidigkeit« ist ein exzellentes Miniprogramm zum Aufbau von Bewußtsein, Haltung, Basispower. Sobald Ihnen die Übungen vertraut sind, fügen Sie nach Lust und Laune weitere dazu. Wenn Sie vor allem am Gesäß arbeiten möchten, addieren Sie Übungen aus der Gruppe 4. Wer den Bauch schnell loswerden möchte, holt neue Übungen aus der Gruppe 3. Sind die Arme schlaff, reichern Sie Ihr Programm mit Übungen aus der Gruppe 2 an. Bis Sie das Vollprogramm integriert haben.

(Stöhnen Sie jetzt: »Ich will turnen, nicht denken«? Reine Temperamentssache und vollkommen in Ordnung. Für Sie gibt es das CANTIENICA®-Power-programm als Video: 60 Minuten Workout von Scheitel bis Sohle.)

3-D-BEWEGUNGEN

Alle Übungen werden in Aufbauschritten gezeigt. So sehen Sie genau, wie die Position für die drei-dimensionale Bewegung vorbereitet wird. Wichtig: Die Grundposition ist schon verschraubt. Aus der größtmöglichen Drehung steigern Sie die Power-dehnung der ganzen Muskelgruppe in geschmeidigen, gleichmäßigen und sehr langsamen Pulsen. Bitte nicht ungeduldig werden! Diese Art des Trainings ist für alle am Anfang ungewöhnlich und fremd. Vertrauen Sie Ihrer Körperintelligenz, nehmen Sie einfach wahr, was ist. Sie werden sich nach dem Training so fit, so powergeladen und gleichzeitig entspannt fühlen, daß Sie den kleinen Mehraufwand gern aufbringen.

KLITZEKLEINE BEWEGUNGEN

Die Bewegungen, die im optimal verschraubten Zustand noch möglich sind, sind klitzeklein, 5 mm bis 1 cm, mehr ist nicht möglich. Wenn Sie einen richtig schwungvollen, großen Dreh zustande bringen, bauen Sie einfach die Grundposition noch mal neu auf.

SO OFT WIEDERHOLEN, WIE'S GEHT

Ein gutes Kriterium dafür, daß Sie die Grund-position optimal eingenommen haben: Wenn Sie nur wenige Wiederholungen machen können, so fünf bis maximal zehn. Steigern Sie sich einfach täglich, bis Sie etwa 30, 40 Wiederholungen schaffen. Wenn Sie spielend auch 100 Repetitionen bringen können, so stimmt die Grundposition nicht, mit jeder Garantie. (Ich lege jedesmal die allerhöchste Aufmerksamkeit in die Position, noch präziser, noch entspannter, und so komme ich kaum je auf mehr als 40 Wiederholungen.) Eine wertvolle und spannende Art der Steigerung ist die Bewegung: Verändern Sie den Winkel der Arme oder Beine, so wird die Übung sofort wieder konzentriert und fordernd.

UND SO SOLLTEN SIE VORGEHEN

1. Warmmachen
Ein bis zwei Übungen zum Anwärmen sind sinnvoll, mehr braucht es nicht. Durch die kleinen Bewegungen und die integrierte Dehnung werden die arbeitenden Muskeln in der Übung aufgewärmt. Ein spezielles Vorwärmprogramm, wie es bei allen aerobischen Disziplinen empfohlen wird, ist daher nicht notwendig.

2. Busen, Arme, Taille, Schultern, Nacken
Fürs Vollprogramm mindestens 5 (3 P, 2 S)
Fürs Kurzprogramm mindestens 3 (2 P, 1 S)

3. Bauch, Rücken, Nacken, Hals
Fürs Vollprogramm mindestens 5 (3 P, 2 S)
Fürs Kurzprogramm mindestens 3 (2 P, 1 S)

4. Gesäß, Hüfte, Oberschenkel, Rücken, Haltung
Fürs Vollprogramm mindestens 5 (3 P, 2 S)
Fürs Kurzprogramm mindestens 3 (2 P, 1 S)

5. Oberschenkel, Beine, Po, Rücken, Haltung
Fürs Vollprogramm mindestens 5 (3 P, 2 S)
Fürs Kurzprogramm mindestens 3 (2 P, 1 S)

6. Powerdehnungen für Aufrichtung, Haltung, Stabilität, Ausstrahlung
Fürs Vollprogramm: alle
Fürs Kurzprogramm: mindestens 3 aus diesem S-Set

Ihr Wegweiser

K

steht für Kurzprogramm

P

steht für Powerübung

S

bezeichnet die Stretchübungen

H

Diese Übung können Sie auch mit Hanteln ausführen.

Anzahl Wiederholungen
Anfänger **A** 10 bis 20
Fortgeschrittene **F** 30 bis maximal 40
Ausnahmen sind bezeichnet **(A, F)**

Grundpositionen	Seite 22
Schritt für Schritt	Seite 37
Warmmachen	Seite 46
Busen, Arme, Taille, Schultern, Nacken	Seite 52
Bauch, Rücken, Nacken, Hals	Seite 62
Gesäß, Hüfte, Oberschenkel, Rücken, Haltung	Seite 72
Oberschenkel, Beine, Po, Rücken, Haltung	Seite 84
Powerdehnungen für Aufrichtung, Haltung, Stabilität, Ausstrahlung	Seite 98

Das Kurzprogramm

Anwärmer	
Kopfhochturm	S
Bizepsschraube	PH
Schmetterling	PH
Wonderbra	PH
Oberarmstraffer	PSH
Libelle	P
Unterbauchstraffer	P
Bauch im Dreieck	PS
Dehnung im Dreieck	S
Überbrücken	PS
Kleine Beinschere	P
Große Beinschere	P
Innenschenkelstraffer	PS
Beinlang	S

Albatros	S
Fersensitzer	PS
Beckendehner	P
Hüftöffner	S
X-Dehnung	S
Hochturm	S

Das Vollprogramm

Anwärmer		Kleine Beinschere	P
Schulterformer	PH	Große Beinschere	P
Kopfhochturm	S	Innenschenkelstraffer	PS
Bizepsschraube	PH	Fersenstoßen	P
Schmetterling	PH	Beinlang	S
Taillenmacher	S	Wolkenkratzer	SP
Blumenkelch	PH	Albatros	S
Wonderbra	PH	Allesdehner	S
Aussichtsturm	SP	Fersensitzer	PS
Brustheber	PH	Beckendehner	P
Oberarmstraffer	PSH	Fersensitzachter	SP
Libelle	P	Hüftöffner	S
Waschbrett	P	Fersenstoßstretch	SP
Unterbauchstraffer	P	Junge Weide	SP
Bauch mit Grätsche	PS	Megastretch	SP
Bauch im Dreieck	PS	X-Dehnung	S
Dehnung im Dreieck	S	Kopfunter	S
Überbrücken	PS	Pyramide	S
Wie ein Frosch	S	Drehfalter	S
Löwenstretch	S	Steilhang	SP
Dreifüßler	PS	Hochturm	S

Fürs Vollprogramm 2 bis 3 Anwärmübungen
Fürs Kurzprogramm mindestens 1

Schwungvoll

Diese Übungen helfen Ihrem Geist, sich auf
das Training einzustellen. Sie entspannen,
entkrampfen, kurbeln den Kreislauf an und
versetzen den Körper in erhöhte Konzentration.
Außerdem erwärmen sie die Muskeln …

Anwärmer

Füße hüftweit auseinander,
Beckenboden anspannen,
Großzehengelenk und Außenkante
Ferse im Boden verankern. Den
oberen Rücken entspannen. Knie
sind weich und entspannt. Hände
leicht verschränkt vor dem Körper.
Arme zur Seite hin öffnen.

K Zum Aufwärmen. Bringt den Kreislauf
sanft auf Touren, entspannt
und wärmt den ganzen Körper vor.
Entspannt Rücken und Nacken.

A und F
8mal schwingen

In einer großen Umarmung zur
Decke dabei die Wirbelsäule dehnen, Arme wieder rund fallen lassen,
wiederholen. Beim Auf einatmen,
beim Ab ausatmen. Etwa 8mal.
Beim Aufrichten: Schultern bleiben
entspannt. Die Wirbelsäule wird
gedehnt. Der Kopf bleibt gerade.

Kopfhochturm

Grundposition im Stehen oder Sitzen. Schultern entspannen.

Hände über dem Kopf verschränken. Handflächen zur Decke drehen, als bildeten sie ein Dach.

Arme gestreckt halten, während die Schultern nach unten-außen gesetzt werden. Wiederholen, bis sich die Beweglichkeit in der Schulter einstellt. Dann die Dehnung auf 5 halten.

SK

Setzt die Armkugeln und Schultern anatomisch richtig. Entlastet Nacken und den Schulterbereich. Hilft beim Aufspannen der Wirbelsäule.

Tip
Erste Hilfe bei Schulterverspannungen.

Schulterformer

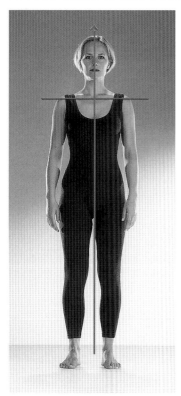

Grundposition im Stehen:
Kronenpunkt zur Decke. Schultern
nach außen-unten entspannen.

Arme auf Schulterhöhe seitlich
ausstrecken. Oberkörper zur Decke
dehnen. Schultern bewußt
entspannen, das wirkt im Spiegel,
als ob die Arme dabei länger
würden.

PH **Kräftigt die Arm- und Rückenmuskulatur. Entspannt die
Schultern. Öffnet den Brustraum. Trainiert Schultern,
Nacken, Arme, Oberkörper.**

Tip
Für mehr Muskeln: Arme möglichst waagrecht. Für weniger
Muskeln: Unterarme locker fallen lassen.

Arme nach vorne eindrehen, bis die Handinnenflächen zur Decke zeigen.

Den Unterarm federleicht aus dem weichen Ellbogen fallen lassen und die Luft mit den Händen schwer zur Seite schieben.

Fürs Vollprogramm mindestens 5 Übungen
aus dieser Serie (3 P, 2 S)
Fürs Kurzprogramm mindestens 3 Übungen

Wonderbra und

Im Liegen, Sitzen oder Stehen. Ohne Hanteln

oder mit. Auf alle Fälle mit der besten Haltung,

die Sie je hatten: Die folgenden Übungen formen

Ihre Schultern, straffen den Busen, machen

schwabbelige Oberarme wieder knackig. Sie

bringen Ihre Taille zur Geltung — und schneidern

Ihnen ein solides, schlankes Korsett aus Muskeln.

Wespentaille

Bizepsschraube

Trainiert die Oberarme und den oberen Rücken.
Entspannt die Schultern.

Tip
Für mehr Muskeln öffnen Sie den Winkel, indem Sie den
Unterarm leicht senken.

PHK

Grundposition im Sitzen. Arme
seitlich ausstrecken, im 90°-Winkel
ausrichten. Armkugeln bewußt
nach unten-außen entspannen.

Arme verschrauben, als wollte der
Kleinfinger den Daumen einholen.
So stark verschrauben, bis Sie den
Tonus aus dem Kraftfeld am Rücken
spüren. Pulsieren, von 30mal auf
60mal steigern.
Sie können die Übung alternativ im
Stehen und mit Hanteln ausüben.

Schmetterling

Armkugeln bewußt zurück nach außen-unten setzen, Schultern entspannen. Handgelenk nach außen drehen, als wollte der kleine Finger den Daumen einholen. Diese Drehung (Verschraubung) halten. Mit winziger Schraubbewegung in diese Kontraktion pulsieren. Je größer der Winkel, um so intensiver das Training.

Variante sitzend und mit Hanteln. Die Grundposition im Sitzen einnehmen und die Arme vor dem Körper verschrauben. Wenn Sie gerne Muskeln aufbauen möchten, vergrößern Sie den Winkel zwischen Ober- und Unterarm.

Grundposition im Stehen. Arme auf Schulterhöhe und schulterbreit vor dem Körper anwinkeln. Ober- zu Unterarm bildet einen 90°-Winkel.

PHK

Trainiert die Oberarme und entspannt die Schultern. Kräftigt die »büstenhaltenden« Muskeln. Richtet den Brustkorb auf.

Taillenmacher

Grundposition im Schneidersitz. Wenn es in den Leisten schmerzt, können Sie die Knie mit Kissen unterlegen. Arme über den Kopf heben, mit der rechten Hand das linke Handgelenk umfassen.

Den linken Beckenboden anspannen. Den Arm über dem Kopf aus dem Beckenboden nach rechts ziehen. Achtung, nicht einknicken, auch die rechte Seite bleibt gedehnt. Dehnung auf 7 halten. Sanft und gedehnt zurückfließen. Seite wechseln.

Dehnt und formt die Taille, verbessert die Haltung. Dehnt den Bauch. Kräftigt die stützende Rückenmuskulatur.

Tip
Wenn die Taille Ihr Schwachpunkt ist, können Sie die Übung 3mal nacheinander wiederholen.

S

Sitzalternative: Beine anwinkeln, Fuß, Knie, Hüfte bilden eine Linie. In dieser Position werden die Rückenmuskeln besonders gefordert.

Blumenkelch

Grundposition im Sitzen. Mit angewinkelten Beinen oder im Schneidersitz. Arme hoch, Hände über den Kopf heben. Schultern nach unten-außen senken. Bewußt entspannen. Die Ellbogen sind leicht gebeugt.

Kronenpunkt zum Himmel ziehen. Arme ausdrehen, indem der Daumen versucht, den Kleinfinger zu fangen. Den angenehm fordernden Winkel von Ober- zu Unterarm suchen. Je gebeugter die Arme, desto mehr arbeitet der Bizeps, je gestreckter, um so mehr der Trizeps.

Die Bewegung mit Hanteln ist gleich wie ohne: Tonus aus dem Kraftpunkt am Rücken holen und in die größtmögliche Drehung arbeiten.

PH

Trainiert die Brustmuskulatur, die Armmuskulatur, die seitliche Rückenmuskulatur, den vorderen Sägemuskel. Formt den Oberkörper. Stärkt die Handgelenke.

Tip
Für mehr Bizeps verkleinern Sie den Winkel am Ellbogen und ziehen die Ellbogen in Ihrer Vorstellung auseinander.

Wonderbra

Grundposition im Sitzen, Schneidersitz oder Beine angewinkelt oder auf einem Stuhl. Beckenboden aktivieren,
die Sitzknochen und das Steißbein in der Unterlage verankern. Scheitel langziehen, Wirbelsäule dehnen, den
oberen Rücken in den Himmel entspannen. Die Arme auf
Schulterhöhe spitz anwinkeln und die Ellbogen auseinander ziehen, bis sich der Kraftpunkt am Rücken regt.

Den rechten Arm vor den Körper setzen. Den linken
seitlich am Körper anwinkeln. Die Schultern bewußt
nach unten-außen setzen. Nun das rechte Handgelenk
innen an das linke legen. Das rechte drückt gegen
das linke, das linke drückt dagegen. Druck und Gegen-
druck auf 20 halten. Seite wechseln.

Mit Hanteln und aufgestellten Beinen
wird der Wonderbra mega-wirksam.

PHK

**Trainiert die Aufhängemuskulatur
der Brust und – isometrisch – die
Armmuskeln. Weckt den
Kraftpunkt im Rücken, kräftigt
den oberen Rücken.**

Tip
Wenn Ihr Rücken noch instabil ist,
führen Sie diese Übung einfach im
Liegen aus.

Aussichtsturm

Grundposition im Sitzen. Arme auf Schulterhöhe locker vor dem Körper anwinkeln. Armkugeln aufmerksam nach außen-unten setzen. Beckenboden aktivieren. Sitzknochen und Steißbein in der Matte verankern. Die Arme auf Schulterhöhe federleicht verschränken. Aus dem Scheitel die Wirbelsäule langziehen, entspannt atmen, noch länger ziehen.

SP

Macht den Nacken lang, geschmeidig und schlank. Spannt den Rücken auf. Kräftigt die Nacken- und Kopfmuskulatur.

Tip
Prima Erste-Hilfe-Übung bei Verspannungen im Rücken — zum Beispiel nach dem Golfspiel. Kann auch im Büro auf dem Stuhl als Energiequelle durchgeführt werden.

Den Kopf in einem engen Bogen ganz leicht nach vorn einrunden. Das Kinn zur rechten Schulter drehen, der Scheitelpunkt verschiebt sich nicht, die Achse zum Steißbein bleibt gerade. Die Länge halten, das Kinn geschmeidig und sanft zur linken Schulter drehen. Die Schulter bleibt entspannt unten-außen. Auf jede Seite mindestens 3mal.

Die Wirbelsäule bildet eine axiale Linie vom Steiß zum Scheitel

Alternative: Wenn es Ihnen noch schwerfällt, aufrecht zu sitzen: Fußsohlen aneinanderlegen, mit den Händen die Fußgelenke fassen. Den Rücken mit den Armen hochziehen.

Brustheber

Grundposition im Liegen. Arme
parallel zum Körper anwinkeln.
Armkugeln nach außen-unten
senken, Schultern entspannen.

Arm eindrehen: Der kleine Finger
wandert zum Daumen. Unterarm
anwinkeln, Oberarm 1 cm vom Boden
heben. Arm pulsierend verschrauben.
20 mal

**Dehnt den Schultergürtel.
Entspannt die Nackenmuskulatur.
Verfeinert die bewußte Körper-
wahrnehmung in Schultern,
Armen und Nacken.**

Tip 1
Im Liegen den Tennisball unter
den Kopf.

Tip 2
Kann auch sitzend im Büro auf dem
Stuhl gemacht werden. Lockert
Schultern.

PH

Steigerung
Der Oberarm bleibt statisch, der
Unterarm schließt und öffnet den
Winkel während des gleichzeitigen
Pulsierens.

Oberarmstraffer

Trainiert sehr stark den Armstrecker, Trizeps, erschlafft bekannt als Wabbelarm. Hilft beim anatomisch richtigen Zurücksetzen der Arme. Tonisiert den ganzen Arm.

Tip
Wenn Sie keine Muskeln an den Armen wünschen, halten Sie den Winkel im Ellbogen möglichst klein.

PSHK

Grundposition im Liegen (eventuell Tennisball unter den Kopf). Arme parallel zum Körper, Handfläche zur Decke drehen. Armkugeln nach außen-unten entspannen. Arm verschrauben: die Hand dreht sich vom Kleinfinger zum Daumen. Twist halten.

Unterarm leicht anwinkeln. In die Verschraubung pulsieren und dabei den Arm nach oben bewegen.

Wenn der Oberarm senkrecht in die Luft steht, den Unterarm langsam Richtung Ohr bewegen, immer mit dem 3-D-Puls. Zur intensiven Bearbeitung schlaffer Innenarme in dieser Position mindestens 20 Pulse »drehen«.

Anmut mit Kraft

Schwanenhals und Waschbrettbauch.

Geschmeidigkeit und Power: Mit diesen Übungen

trainieren Sie die Bauchmuskeln garantiert

dreimal so intensiv wie bisher. Und zehnmal so

sicher. Denn hier wird der Anatomie Rechnung

getragen: Der Rücken wird gedehnt, entspannt

und entlastet. Der Beckenboden sorgt für

den Mehrwert. Die ganze Arbeit geschieht in den

tiefsten Schichten der Bauchmuskulatur.

Libelle

Grundposition liegend. Ein Knie zur Brust ziehen, das andere Knie zur Brust ziehen, beide Beine in die Luft strecken, Füße kreuzen. Schultern vollkommen entspannen, Rücken sanft in den Boden fließen lassen. Beckenboden anspannen, bis Sie die Außenrotation der Beine spüren.

Hände hinter dem Kopf verschränken. Kopf schwer in die Hände fallen lassen. Wirbelsäule zwischen Becken-boden und Kronenpunkt voll aus-ziehen (dehnen).

PK Trainiert und dehnt alle Bauchmuskeln, auch die schrägen. Dehnt und formt den Hals, beugt dem Doppelkinn vor. Verbessert die Koordination. Stärkt den Rücken.

Tip
Prima Übung für Einsteiger und, mit Kopf am Boden, für übergewichtige Frauen, bei denen beim Einrunden der Kopf im Busen »versinkt«.

Den Kopf vom Kronenpunkt her nach oben-vorn einrunden. Kinn entspannt, Mund leicht offen. Achtung: Die Schulterblätter heben sich nicht vom Boden, der Oberbauch ist vollkommen entspannt. Sobald er hart wird, arbeitet schon der Rücken mit! Am Brustbein weich einsinken und mit dem Krönchen klitzekleine Pulse Richtung Beckenboden machen. Mit 20 anfangen, auf maximal 50 steigern.

Steigerung: Wenn Sie sich mit der Position angefreundet haben, können Sie die Beine zur Decke strecken, Füße flex, das heißt: rechter Winkel zwischen Fuß und Bein. Arme locker über der Brust verschränken. Pulsieren, Krone zu Beckenboden.

Waschbrett

Grundposition im Liegen. Beine auf Kniehöhe anwinkeln. Schultern vollkommen entspannen, Beckenboden
aktivieren, über den Anus zum Steißbein hochziehen.
Wenn es nicht geht: In der Vorstellung arbeiten. Der
Körper wird der Vorstellung sehr schnell folgen.

**Trainiert den Beckenboden,
stärkt den Rücken und kräftigt
die gesamte Bauch- und Halsmuskulatur.**

Tip
Je mehr Sie den Beckenboden
aktivieren, um so sicherer ist Ihr
Rücken. Außerdem wird der Po
»geliftet«.

Kopf vom Kronenpunkt her einrunden. Brustbein weich
einsinken lassen. Oberbauch bleibt vollkommen entspannt,
der Rücken bleibt am Boden. Nur die Halswirbel sind
rund. Arme lose übereinanderlegen.
Position genau so halten. Die Füße aus dem Beckenboden
(dranbleiben, es geht, Ehrenwort, es ist an Tausenden
getestet!) nach vorn stoßen und zurückziehen, eines um
das andere. Je mehr Sie den Beckenboden aktivieren, um
so kleiner wird die Bewegung. Je größer der Winkel
zwischen Körper und Oberschenkeln, um so anstrengender
ist die Übung.

Bei Rundrücken zu empfehlen: Kopf bleibt entspannt am Boden oder auf dem
Tennisball. Brustbein ganz zart (2 cm) zum Schambein kontrahieren, das Schambein
zum Brustbein. Das dient dem Schutz des Rückens. Wenn die Bauchmuskeln kräftig
genug sind, ist diese Kontraktion nicht mehr notwendig.

Unterbauchstraffer

Grundposition liegend. Entspannen Sie den Rücken, indem Sie leicht ins Hohlkreuz gehen, den Beckenboden aktivieren und Richtung Fersen »ziehen«. Rücken sanft vom Steißbein her in die Unterlage fließen lassen. Beine auf Kniehöhe anwinkeln.

Kopf vom Krönchen her einrunden. Arme unter der Brust locker aufeinanderlegen. Beide Beine aus dem Beckenboden gleichzeitig nach vorn schieben und wieder zurückziehen. Es ist wichtig, dafür ein Gespür zu entwickeln: Bauch und Beckenboden arbeiten gemeinsam und gleich stark beim Vorstoßen und Zurückziehen!

PK

Trainiert den Beckenboden, stärkt den Rücken und kräftigt die Bauch- und Halsmuskulatur. Besonder geeignet gegen »Hängebäuchlein«. Macht Brustkorb und Rippen geschmeidig.

Tip
Wenn Sie ein stark ausgeprägtes Hohlkreuz machen, hilft Ihnen diese Übung. Die überdehnten Bauchmuskeln werden gestrafft, dadurch fällt Ihnen die neue, gute Haltung leichter.

Alternative bei Rundrücken oder Schmerzen im Nacken: Oberkörper bleibt am Boden. Vorsicht: Der Kopf darf nicht nach hinten fallen. Allenfalls Tennisball, Taschenbücher oder ein Frotteetuch unterlegen! Etwa 15mal wiederholen, langsam steigern. Zum Entspannen Knie mit den Händen an die Brust ziehen, bis sich der untere Rücken leicht vom Boden hebt.

Bauch mit Grätsche

Grundposition im Liegen, beide Beine entspannt zur Brust gezogen.

Aufmerksamkeit in die Fersen lenken, ein Bein ums andere zur Decke strecken. Beckenboden aktivieren, so stark es geht, Spannung halten. Die Knie sind beim Anfänger nicht durchgestreckt.

PS

Formt den Hals. Kräftigt und strafft die gesamte Bauchmuskulatur. Stärkt den Beckenboden. Dehnt die Innenschenkel und die Kniesehnen.

Tip
Haben Sie schwabbelige Innenschenkel? Je weiter Sie die Grätsche öffnen und gleichzeitig die Beine zwischen Fersen und Sitzknochen dehnen, um so dramatischer ist der straffende Effekt auf die Innenschenkel.

Steigerung: Hände verschränken und ausdrehen, Arme zwischen den Beinen durchstrecken und zart das Krönchen Richtung Beckenboden pulsieren. Je entspannter Sie eingerundet sind, je mehr der Beckenboden mithilft, um so konzentrierter und intensiver werden die Kontraktionen in den tiefsten Schichten der Bauchmuskulatur.

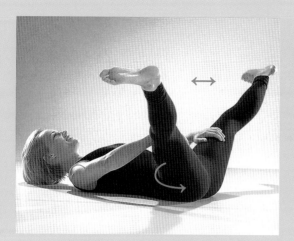 

Beine zur Seite V-förmig öffnen. Mit dem Beckenboden halten. Innenschenkel fassen. Kopf sanft einrunden, am höchsten Punkt zart zum Beckenboden pulsieren.

Bauch im Dreieck

Grundposition im Liegen. Der Rücken ist lang, leicht, entspannt. Linken Fuß über das rechte Knie legen. Beckenboden aktivieren und so die Wirbelsäule stabilisieren, bis die Hüften parallel liegen.

Arme locker aufeinander unter der Brust. Vom Kronenpunkt her den Kopf lang und entspannt einrunden. Vom höchsten Punkt aus kleine, ziehende Impulse Richtung Beckenboden, der selbstverständlich voll kontrahiert ist!

Fortschritt, sobald die Bauchmuskeln kräftig genug sind, das heißt, sich der Rücken nicht mehr vom Boden heben möchte: Den rechten Fuß leicht vom Boden heben.

PSK

Trainiert die gesamte Bauchmuskulatur, dehnt Rücken und Nacken, formt den Hals. Verbessert das Körperbewußtsein. Stabilisiert die Hüften.

Tip
Korrekt durchgeführt ist diese Bauchübung besonders schonend. Sie eignet sich auch unmittelbar nach Schwangerschaften, nach Krankenhausaufenthalten, Bauch- und Unterleibsoperationen.

Supersteigerung: Arme verschränken und nach links schieben; die Schultern bleiben entspannt, wo sie sind. Den Kopf in die Gegenrichtung, also zum rechten Knie drehen. Sanft aus dem Kronenpunkt zum Steißbein pulsieren. Zum Lösen Kopf sanft zurücklegen, Arme entspannen und das rechte Bein zur Brust ziehen. Direkt in die Dehnung im Dreieck.

Dehnung im Dreieck

SK

Dehnt die Hüften und die gesamte Rückenmuskulatur. Öffnet die Leisten.

Tip

Diese Dehnung eignet sich als Notfallübung bei Hüftschmerzen und Verspannungen im Kreuz.

Direkt aus Bauch im Dreieck: Der linke Fuß liegt über dem rechten Knie. Rechtes Knie zur Brust ziehen. Schultern entspannen. Beckenboden aktivieren beim Einatmen, lösen beim Ausatmen. Dreimal langsam ein- und ausatmen.

GESÄSS, HÜFTE, OBERSCHENKEL, RÜCKEN, HALTUNG

Fürs Vollprogramm mindestens 5 Übungen
Fürs Kurzprogramm mindestens 2 Übungen

Apropos Popo

Die CANTIENICA®-Methode geht an den Ursprung
der Muskeln: Es werden die tiefsten Schichten
vernetzt und verwoben trainiert.
Hüften kommen in Form, das Gesäß wird geliftet.
Die Oberschenkel tanken Kraft ohne Umfang.
Damit Sie ab sofort sagen können: »Problem-
zone? Nein danke!« Wichtig bei diesen Übungen:
Die Gesäßmuskeln bleiben entspannt, sie sind
nur Verpackung. Auf den Inhalt kommt es an.

Überbrücken

Kräftigt den Beckenboden. Dehnt den Rücken, löst Verspannungen. Formt das Gesäß, strafft die Oberschenkel. Verbessert das Körperbewußtsein.

Tip
Behutsam und aufmerksam durchgeführt eine großartige Erste-Hilfe-Übung bei Rückenschmerzen, Verspannungen aller Art.

PSK

Grundposition in Rückenlage, Rücken lang, leicht, entspannt. Arme seitlich angewinkelt. Großzehengelenk und Außenseite der Ferse schön ausrichten, Fuß, Knie, Hüften bilden eine Linie. *Achtung: Knie während der ganzen Übung entspannt in dieser Stellung halten, sonst droht ein Krampf!*

Kronenpunkt langziehen. Steißbein zu den Fersen »verlängern«. Beckenboden aktivieren und mit vollkommen entspanntem Bauch das Becken zum Nabel rollen. Wirbel um Wirbel vom Boden heben. Am höchsten Punkt aus dem Beckenboden pulsieren: Muskelspannung rhythmisch steigern und gleichzeitig das Becken noch mehr einrunden. Als Anfänger lösen Sie ein, zwei Wirbel vom Boden. Mit fortschreitender Kraft und Geschmeidigkeit kommen Sie immer höher. Beachten Sie auf diesem Bild: Der Bauch sinkt ein, der Rücken dehnt und wölbt sich wie eine Hängebrücke.

Steigerung und Alternative, wenn Sie die Knie nicht locker lassen können: Die Füße ganz nahe ans Gesäß ziehen und auf die Fußballen stellen. Bewegung wie beschrieben. Der Bauch ist vollkommen entspannt!

Wie ein Frosch

Fersensitz. Beckenboden aktivieren. Kronenpunkt lang und gedehnt nach vorn einrunden. Arme ausstrecken. Mit den Fingerspitzen nach vorn wandern, das Steißbein zieht gleichzeitig nach hinten unten. Oberkörper bleibt zwischen den Polen entspannt.

Dehnt und entspannt den ganzen Rücken, die Hüften, die Schultern.

Tip
Großartige Entspannungsübung bei Müdigkeit und Rückenbeschwerden.

A und F: etwa 30 Sekunden halten

S

Löwenstretch

Vierfüßlerstand, Hände exakt unter den Schultern und leicht nach innen zeigend, Ellbogen nicht durchgedrückt. Knie unter den Hüften. Beckenboden anspannen, ohne das Becken zu bewegen!

S

Entspannt die Schultern, dehnt die Wirbelsäule, kräftigt die Rückenmuskulatur und den Beckenboden. Verbessert Koordination und Gleichgewicht.

Tip
Perfekte Entspannungs- und Wahr-nehmungsübung für den Rücken.

Der Löwenstretch ist die ideale Aus-gangsposition für den folgenden Dreifüßler.

A und F: Dehnung mindestens 30 Sekunden halten

Den Rücken entspannt halten und in die Länge ziehen: Der Kronenpunkt zieht die Achse nach vorn, das Steißbein gerade nach hinten. Der aktivierte Beckenboden garantiert die Stabilität und die Entlastung des Rückens.

Dreifüßler

Den linken Unterarm am Boden auflegen. Sehr wichtig: Der rechte Arm bleibt fast gestreckt. Das Gewicht in den rechten Beckenboden delegieren, das Gleichgewicht suchen und halten. Das linke Bein angewinkelt nach hinten heben, so wie im Foto, nicht höher.

Supertraining für Kraft und Stabilität des Rückens. Formt Beine, Gesäß. Verbessert die Beweglichkeit der Wirbelsäule und das Gleichgewicht.

Kinn zart am Stamm nach rechts drehen, die Achse Scheitel-Steißbein bleibt gerade. Der Nacken ist entspannt und offen. Der rechte Beckenboden bleibt fest angespannt. Aus dem linken Beckenboden das Bein verschrauben, indem Sie den Beckenboden 10 % lösen, 30 % mehr anspannen, 10 lösen, 30 mehr anspannen. Mit fortschreitender Übung wird sich Ihr Gefühl für diese evolutionäre Art des Trainings steigern. Seite wechseln.

Steigerung mit Tip
Auch bei Rückenproblemen geeignet: Die linke Hand vom Boden lösen, locker ins Kreuz legen, die Handfläche nach oben. Kinn vorsichtig nach links verschrauben, Wirbelsäule gedehnt. Jetzt die ganze rechte Körperseite nach rechts absinken lassen, wie ein Schiff mit Schlagseite. Diese Übung eignet sich hervorragend für Menschen mit skoliotischen Wirbelsäulenverkrümmungen. Bild rechts: Die Übung von hinten betrachtet.

Kleine Beinschere

Auf die linke Seite legen, Beine vor dem Körper angewinkelt. Hände über dem Kopf verschränken, ausdrehen. Mit gestreckten Armen die Schultern nach außen-unten setzen. Dadurch spannt sich der Rücken wie ein einem Rahmen auf. Achten Sie darauf: Die Wölbung in der Taille muß während der ganzen Übung bleiben. Diese Haltung trainiert die Rückenmuskulatur gleich mit! Die obere Hüfte leicht nach vorne schieben. Beckenboden maximal aktivieren. Aus dem Beckenboden das obere Bein leicht anheben, Fuß und Ferse hängen entspannt. Mit dem Beckenboden pulsieren. Wenn Sie eine Kettenreaktion vom Beckenboden zu den Fersen und zurück spüren: Genau das ist es!

Trainiert die tief liegenden Schichten der Hüft- und Gesässmuskulatur. Durch den aktivierten Beckenboden werden Rücken-, Bauch- und Oberschenkelmuskulatur gedehnt und gestrafft.

PK

Tip
Die kleine und die große Beinschere entwickelte ich für eine Frau mit zwei künstlichen Hüftgelenken. Die Übungen sind vorzüglich zur Rehabilitation und Kräftigung nach Hüftoperationen geeignet.

Steigerung oder Alternative, wenn Sie die Position auf der Seite liegend nicht halten können: Auf den linken Arm abstützen, den rechten über dem Kopf ausstrecken und ausdrehen. Kinn entspannt zur linken Schulter drehen. Seite wechseln.

Wenn Sie voluminöse Schenkel haben: Bewegen Sie das obere Bein während des Pulsierens, indem der Oberschenkel mal näher zum Oberkörper wandert, dann weiter nach hinten. Das verhindert »Muskelkissen« an ungewünschten Orten.

Große Beinschere

Auf der linken Seite, Arme über dem Kopf ausstrecken, Hände falten und ausdrehen, mit gestreckten Armen die Schultern nach außen-unten schieben, Wölbung in der Taille unbedingt halten. Beine im rechten Winkel vor dem Körper ausgestreckt. Die obere Hüfte ganz leicht nach vorne verschieben.

Beckenboden aktivieren. Aus dem Beckenboden das oben liegende Bein anheben, so weit es geht, die Ferse schwer hängen lassen, das Knie ist vollkommen entspannt. Aus dem Beckenboden kräftig pulsieren. Der Impuls aus dem Beckenboden setzt sich durch die Beinmuskulatur bis in die Ferse fort. Seite wechseln.

Steigerung und für Frauen mit umfangreichen Oberschenkeln: Während des Pulsierens das Bein sanft in Bewegung halten, weiter nach oben, langsam nach unten, zurück in die Mitte.

PK

Trainiert den Beckenboden, den Rücken, die Haltung, hebt, formt und strafft die gesamte Bein-muskulatur.

Tip
Wenn Sie schwere Beine haben: Nur ganz wenig anheben, und das Unterbein entspannt fallen lassen.

Innenschenkelstraffer

Auf der Seite liegen. Beide Beine im rechten Winkel vor
den Körper legen. Körper mit den Armen abstützen.
Oberes Bein möglichst nahe am Gesäß aufstellen. Oberkörper aufrichten, Gesäß nicht nach hinten fallen lassen!

**Dehnt die Muskulatur der
Innenschenkel sehr effizient.
Kräftigt Rücken, Hüften,
Beine. Hebt den Po.**

Tip
Wenn es Ihnen schwerfällt,
den Rücken aufrecht zu halten,
können Sie sich gegen eine
Wand lehnen. Po und
Schultern müssen die Wand
berühren. Mit fortschreitender
Kraft werden Sie die ganze
Wirbelsäule lange, gerade und
gedehnt an die Wand bringen.

PSK

Energie in die Ferse des ausgestreckten Beines schicken,
Fuß ohne Anstrengung flexen. Bein so hoch es geht
anheben und spiralig pulsieren. Arm über den Kopf,
Handfläche zur Decke, Armkugeln nach außen-unten
setzen. Seite wechseln.

Hier steht der Fuß vor dem gestreckten Bein. So läßt sich
der Rücken leichter gerade halten.

Fersenstoßen

Grundposition im Liegen. Ein Knie zur Brust ziehen, bequem mit den Händen fassen. Das andere Bein nicht ganz strecken. Zwischen Knie und Boden bleiben 15 bis 20 cm Distanz. Ferse aufstellen, Fuß steht senkrecht zur Decke. Die Übung: Aus dem Beckenboden die Ferse senkrecht in den Boden stoßen, ohne an der Körperhaltung das geringste zu verändern.

Vernetzt die Muskulatur des Beckenbodens mit der des Rückens, der Hüften und der Beine. Stabilisiert und kräftigt die Muskeln ums Knie.

Tip
Eine wunderbare Übung für Beinmuskulatur. Geeignet zur schnellen, nachhaltigen Kräftigung nach Knieoperationen. Erste-Hilfe-Übung für geschwächte Beinmuskeln.

Steigerung: Fuß vom Boden heben. Langsam und intensiv das Bein nach oben pulsieren. Achtung: Die Kraft kommt einzig aus dem Beckenboden. Sobald der Oberschenkel vorn arbeitet, zurück auf den Boden, Fersen in den Boden stoßen. Der Kneiftest hilft: Solange die Muskeln vorn entspannt, hinten am Bein angespannt sind, ist es richtig.

Beinlang

**Dehnt die Kniesehnen, den Hüftbeuger, die Beine.
Löst Spannungen im Rücken.**

Tip
Sind Ihre Kniesehnen sehr verkürzt, können Sie die Knie
bei beiden Beinen leicht gebeugt halten. Nach und nach
steigern.

A: auf 20 halten
F: auf 40 halten

SK

Grundposition im Liegen. Beine zur Brust ziehen,
entspannen.
Beckenboden aktivieren. Aufmerksamkeit in die
linke Ferse senden, linkes Bein zur Decke hochstrecken.
Der Fuß bleibt dabei flex (90°-Winkel zum Bein).
Locker halten.
Das rechte Bein am Boden ausstrecken, auch hier
Aufmerksamkeit in die Ferse schicken und das Bein in
die Länge ziehen, das öffnet den Hüftbeuger und
den Oberschenkelanzieher. Seite wechseln.

Wolkenkratzer

Grundposition liegend. Ein Knie zur Brust, das andere Knie zur Brust, beide Beine zur Decke hochstrecken. *Anfänger mit schwacher Bauch- und Rückenmuskulatur können zur Stütze die Hände unter das Gesäß legen.*

SP

Verlängert das Bein, trainiert die Innenschenkel. Kräftigt den Rücken. Verbessert die Außenrotation der Oberschenkel.

Tip
Wenn Sie kräftige Bauchmuskeln und einen gesunden Rücken haben, können Sie die Beine leicht senken. Wird ganz schön anstrengend!

Beckenboden anspannen. Energie in die rechte Ferse senden, das Bein vom Ansatz bis in die Ferse langziehen, vor das linke Bein schieben, strecken und aus dem Beckenboden pulsieren. Wenn Sie die Sensation nicht gleich spüren, verschieben Sie das Bein ein wenig. Der Winkel mit dem höchsten Wirkungsgrad variiert von Bein zu Bein. Seite wechseln.

Steigerung
Kopf in großem Bogen einrunden wie für die Bauchübungen, Bauch zwischen Scham- und Brustbein kontrahieren. Halten, während die Beine verschraubt werden.

Beinlang und Schenkelschön

Kraft in den Beinen wünschen sich alle.

Aber bitte ohne aufgeblasene Muskelpakete!

Kein Problem mit dem Powerprogramm.

Schlanke, formschöne Kraft ist angesagt — durch

intensives Muskeltraining, unmittelbar gefolgt

von ebenso effizienten Dehnungen. Doch Achtung:

Das eine ist ohne das andere nicht zu haben. Auf

die Kräftigung muß die Dehnung folgen.

Albatros

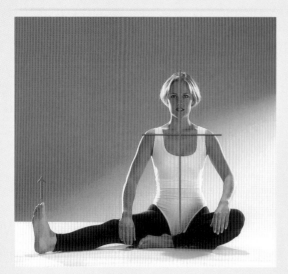

Sitzende Grätschstellung. Das rechte Bein ist ausge-
streckt. Das linke angewinkelt, der Fuß liegt am rechten
Oberschenkel. Beckenboden aktivieren. Steißbein und
Sitzknochen in der Unterlage verankern.

Arme über dem Kopf zur Decke strecken. Wirbelsäule
aufspannen. Armkugeln nach außen-unten entspannen.
Die Dehnung muß durchgehend vom Steißbein zum
Kronenpunkt spürbar sein.

SK

**Intensivdehnung für Hüften,
Rücken, Kniesehnen. Formt
die Taille. Macht den
Oberkörper graziös.**

Tip
Wenn Ihnen die Drehung noch
schwerfällt, können Sie den
Oberkörper einfach nur gerade
nach vorne senken. Nicht
einrunden, sonst stauchen Sie
die Wirbel zusammen.

Den Oberkörper nach rechts ausdrehen und in sanftem Bogen nach rechts
senken, der linke Arm zieht sich dabei lang, als würde er von einem
Marionettenfaden geführt. Den rechten Arm bequem vor, auf oder hinter dem
rechten Bein auflegen. Oberkörper aus den Brustwirbeln ausdrehen, bis die
Schultern senkrecht übereinander stehen. Entspannen. Seite wechseln.

Allesdehner

Dehnt die Hüften, den Rücken, den Hals und die Innenschenkel.

Tip
Sorgfältig durchgeführt ist der Allesdehner eine Superübung für gute Haltung und gegen das Doppelkinn.

Sitzen. Fußsohlen aneinanderstellen, Füße so nahe zum Körper ziehen, wie es geht. Füße fassen, die Wirbelsäule aus dem Scheitel langziehen, Beckenboden anspannen, Steißbein und Sitzknochen in der Unterlage verankern.

Mit den Händen an den Füßen die Hüften nach vorn ziehen, so weit es geht. Der Rücken ist dabei vollkommen gerade. Hals entspannen, Nacken entspannen, Scheitel noch länger ziehen. Kopf zart und eng am Stamm ganz leicht einrunden. Dehnung mit pulsierendem Beckenboden 3 Atemzüge lang halten (**A und F**).

Steigerung
Kinn nach rechts drehen, ohne die Achse zu verändern. Langsam aus der optimalen Dehnung nach links. Auf jede Seite 3mal.

Fersensitzer

Fersensitz auf angenehmer Unterlage, die Knie möglichst weit auseinander. Beckenboden aktivieren. Das Steißbein zieht gerade nach hinten-unten, der Kronenpunkt nach oben, dazwischen dehnt sich die Wirbelsäule. Hände über dem Kopf verschränken, Handflächen zur Decke drehen. Mit gestreckten Armen die Armkugeln/Schultern nach außen-unten setzen.

Entspannt und dehnt den Rücken. Macht das Becken flexibel. Trainiert die Oberschenkel. Dehnt die Innenschenkel und ist absolutes »Kraftfutter« für den Beckenboden.

Tip
Wenn Sie »schwache Knie« haben, können Sie die Übung im Bett auf der Matratze machen.
Achtung: Das ist sehr anstrengend, 5mal Heben und Senken reichen für den Anfang.

PSK

Hände lösen, locker im Rücken verschränken. Oberkörper leicht von den Fersen heben. Aus dieser Position nur mit dem Beckenboden den Oberkörper heben und senken, etwa 10 cm, je nach Körpergröße. Die Bewegung ist klein und sehr intensiv.

Falls Sie zwischendurch entspannen möchten: Oberkörper steil und gerade nach vorn beugen, bis sich Entlastung einstellt. Zum Weitermachen Beckenboden wieder aktivieren, Oberkörper aufrichten und heben und senken.

Steigerung: Die Arme zum Hochturm ausgerichtet und
die Knie zusammen. Der Oberkörper kann auch leicht
nach vorn gebeugt sein.

Beckendehner

Kräftigt und dehnt die
Beinmuskulatur, dehnt den
Rücken, festigt das Gesäß
und den Bauch.

PK

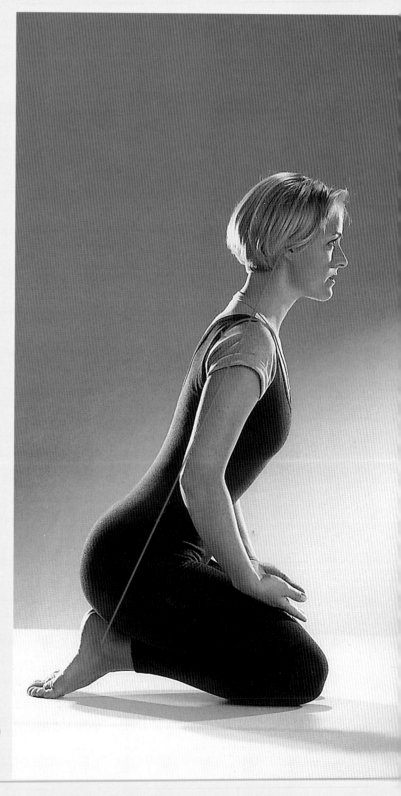

Fersensitz, Knie zusammen. Beckenboden aktivieren. Steißbein zieht nach
hinten-unten, Kronenpunkt in die
Verlängerung. In die Schräglage nei-
gen, wobei der Rücken gerade bleibt.

Arme über dem Kopf zum Turm falten. Schultern bewußt nach außen-unten setzen. Gesäß leicht von den Fersen heben.

Wenn der Rücken nicht mehr gedehnt werden kann, Beckenboden noch mehr aktivieren und das Becken vorn zum Nabel hochrollen. Achtung: Die Bewegung ist winzig, und die Wiederholung fühlt sich wie ein Pulsieren an.

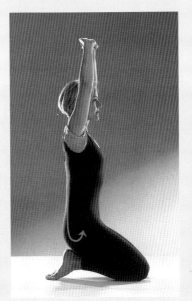

Steigerung: Oberkörper aufrichten und das Becken so zum Nabel »schaufeln«.

Zwischendurch entspannen, indem Sie den Oberkörper vorbeugen.

Fersensitzachter

Fersensitz. Knie auseinander oder beisammen. Hände liegen bequem im Kreuz oder sind angewinkelt vor dem Körper. Armkugeln nach außen-unten entspannen. Beckenboden anspannen, Gesäß ganz leicht von den Fersen heben und mit den Hüften kleine Kreise rückwärts formen, als wollten Sie rückwärts Rad fahren: Den linken Rücken nach unten verlängern, mit dem Beckenboden links einseitig einen Kreis vorn hoch formen. Auf der rechten Seite genau so verfahren, Rücken verlängern, Beckenbodenhälfte aktivieren, Kreis nach vorn bilden.

Macht die Hüften und das Becken geschmeidig, verlängert und dehnt den unteren Rücken, stabilisiert die Lendenwirbel, kräftigt den Beckenboden. Die Gangart wird anatomisch richtig, koordiniert und ökonomisch.

Tip
Sie können die Achter auch im Liegen und im Sitzen ausführen. Ziel ist es, beim Gehen die Beckenhälften genau so zu gebrauchen. Denn dafür ist die Anatomie des Beckens ausgerüstet.

PS

Mit den Händen über dem Kopf den Turm bilden, das intensiviert die Rückendehnung und stabilisiert. Wenn Sie die Übung beherrschen, geht's »wie Butter«. Bis dahin gibt's nur: üben. Dafür winkt Schmerzfreiheit selbst bei fortgeschrittener Arthrose, weil sich das Becken an seine anatomisch richtige Funktion »erinnert«.

Steigerung: Knie zusammenhalten.

Hüftöffner

Schneidersitz. Rücken dehnen,
Scheitel langziehen, Beckenboden
anspannen, Sitzknochen und
Steißbein im Boden verankern. Aus
der größtmöglichen Dehnung die
Hüfte nach vorne dehnen, die
Hände können mithelfen, indem sie
am Boden wie Saugnäpfe Halt
suchen.

SK

**Dehnt die Muskulatur des unteren
Rückens und der Hüften.**

Fersenstoßstretch

Auf die Matte knien. Oberkörper zur Ferse senken, um die Kniescheiben vom Gewicht des Torsos zu befreien.

Aufrichten. Rechtes Bein anwinkeln und aufstellen, Ober- zu Unterschenkel exakt im 90°-Winkel. Scheitel hochziehen, Rücken aufspannen, Becken aufrichten, indem das Becken ganz leicht zum Nabel gerollt wird. So lange aufrichten, bis sich im linken Oberschenkel ein klarer, satter Zug meldet. Aus dem Beckenboden die rechte Ferse in den Boden stoßen, lösen, stoßen, in kurzen, intensiven und fließenden Impulsen. Seite wechseln.

SP

Dehnt die Oberschenkel, speziell den Hüftbeugemuskel. Kräftigt die Hälften des Beckenbodens isoliert. Mobilisiert die Brustwirbelsäule, stabilisiert die Haltung — und macht Spaß!

Tip
Wenn Sie an Streßtagen keine Zeit zum Trainieren haben: Für diese Übung brauchen Sie allerhöchstens zwei Minuten. Sie dehnt und fordert den ganzen Körper. Auch bestens als Notfallübung einzusetzen.

Steigerung: Arme vor dem
Oberkörper anwinkeln. Oberkörper
aus der Brustwirbelsäule zum
aufgestellten Bein verschrauben.
Blick geradeaus. Beine wechseln.

Junge Weide

Grundposition wie beim Hüftöffner. Die beiden Übungen sind sozusagen »Zwillinge«. Hände locker im Rücken verschränken. Beckenboden aktivieren. Das Steißbein nach hinten unten verlängern, den Kronenpunkt gleichzeitig nach vorne einrunden. Mit dem gleichen Impuls hochkommen: Steißbein langziehen, Kronenpunkt hochziehen. Wiederholen. Behutsam hochkommen und das andere Bein vorlagern. Wiederholen.

Macht die Wirbelsäule geschmeidig. Löst Blockaden. Trainiert die Feinmotorik.

Wichtig
Es ist eine zügige Bewegung, kein langsames Ein- und Aufrollen, bei dem die Wirbelsäule gestaucht wird. Die Wirbelsäule soll verlängert, gedehnt, beugsam gemacht werden. Deshalb der Name »Junge Weide«.

SP

Megastretch

Grundposition im Sitzen. Das linke Bein ausstrecken. Fuß entspannt, Zehen zeigen zur Decke. Den rechten Fuß außen an das linke Knie stellen. Beckenboden aktivieren.

Den Rücken rechts nach unten verlängern und mit dem Gesäß einen kleinen Schritt nach vorn machen. Wenn sich dabei der Rücken automatisch dehnt, ist es goldrichtig.

SP

Dehnt Rücken, Hüften. Macht die Brustwirbelsäule geschmeidig. Öffnet die Leiste. Verbessert insgesamt die Koordination.

Tip
Das ist meine liebste Notfallübung. Sorgfältig ausgeführt, hebt sie sogar die Stimmung. Ausprobieren.

Den linken Ellbogen um das rechte Knie legen, Knie zum Himmel denken und zum Körper ziehen. Kronenpunkt hochziehen und das Kinn behutsam nach rechts über die Schulter drehen. Die rechte Schulter dem Kinn folgen lassen, bis der Brustkasten maximal ausgedreht ist und die Brustwirbel wohlig verschraubt sind. Der rechte Arm liegt entspannt im Rücken. **A** langsam auf 10 zählen.
F bis 1 Minute halten. Seite wechseln.

POWERDEHNUNGEN FÜR AUFRICHTUNG, HALTUNG, STABILITÄT, AUSSTRAHLUNG

Fürs Vollprogramm mindestens 4 Übungen
Fürs Kurzprogramm mindestens 2 Übungen

haltung über alles

Nehmen Sie eine richtig deprimierte Körper-

haltung ein, und Sie werden sich in weniger als

einer Minute deprimiert fühlen. Richten Sie sich

auf — sofort hellt sich auch das Gemüt wieder auf.

Haltung ist das halbe Leben — und entmachtet

die Schwerkraft. Die folgenden Dehnungen

richten Sie auf und machen obendrein gelenkig.

X-Dehnung

Auf dem glatten Boden sitzen. Beine entspannt ange-winkelt. Beckenboden aktivieren. Kronenpunkt hoch, Rücken dehnen, Schultern anspannen.

Die rechte Hand faßt den linken Fuß außen links. Linken Sitzknochen nach hinten schieben, die linke Ferse nach vorne, bis das Bein voll durchgestreckt ist.

SK

Öffnet die Hüften, Hüftbeuger und Oberschenkelanzieher. Dehnt die Oberschenkel. Koordiniert die Beinhaltung.

Tip
Je mehr Sie die Sitzknochen nach hinten ziehen und bewußt die Leiste nach hinten verlängern, um so länger und schlanker werden Ihre Beine mit der Zeit.

Der Rücken richtet sich auf, die Brustwirbelsäule dreht sich nach links, der Kopf folgt. Der Hals ist lang und entspannt. Kurz halten (langsam auf 3 zählen). Wiederholen. Insgesamt 3mal. Seite wechseln.

Variation
Wenn Ihre Kniesehnen oder Ihre Hüften überfordert sind: Die rechte Hand faßt den rechten Innenfuß, Sitzknochen nach hinten, Ferse nach vorne stoßen, Oberkörper geht gerade nach vorn.

Kopfunter

Aus der X-Dehnung in die Hocke gehen. Der Beckenboden ist aktiviert. Hände auf dem Boden flach
aufsetzen. Armkugeln nach hinten-außen-unten
entspannen.

Sitzknochen zum Himmel hoch schieben, Fersen in den
Boden stoßen, Fuß bleibt entspannt.

**Dehnt die Muskulatur des Beines,
die Kniesehnen und die Hüften.
Dehnt den Rücken.**

Tip
Mund öffnen, die Zunge an den
Gaumen, den Hals vollkommen
entspannen und den Kronenpunkt
baumeln lassen – dann steigt Ihnen
das Blut nicht so in den Kopf.

Direkt aus dieser Position in die
Pyramide.

Kopf nach unten fallen lassen. Dehnung kurz halten (langsam auf 3 zählen).
Lösen, wiederholen. Total 3mal.

Pyramide

Mit den Händen auf dem Boden nach vorn wandern, so weit, wie die Fersen am Boden haftenbleiben.

In der größtmöglichen Dehnung den Beckenboden aktivieren, das Becken leicht zum Nabel hochrollen. Der Körper bildet ein V.

Dehnt den Rücken, die Waden, die Hüften. Verbessert Bewußtsein und Koordination.

Die Sitzknochen zum Himmel hochschieben, so weit es geht. Die Dehnung in den Beinen und im Rücken soll intensiv, aber nicht schmerzhaft sein. Halten auf 3, allmählich auf 10 steigern. Mit den Händen zurückwandern.

Direkt in die nächste Position gehen. Wenn Sie einen labilen Kreislauf haben, richten Sie sich auf: Kronenpunkt aktivieren, Beckenboden aktivieren und mit geradem Rücken hochkommen.

Drehfalter

S

Dehnt die Kniesehne und den Rücken.

Tip
Lächeln und die Ohren zum Hinterkopf ziehen, dann hat diese Übung auch Faceliftingpower!

Aus der Pyramide mit den Händen zurückwandern. Kopf entspannt hängen lassen. Der Beckenboden ist aktiviert.

Mit der linken Hand das rechte Fußgelenk außen fassen, derweil legt sich die rechte Hand vollkommen entspannt ins Kreuz, Handfläche zeigt zur Decke. Scheitel langziehen, Beckenboden anspannen, und das Kinn in einer sehr sanften, sehr geschmeidigen Bewegung leicht nach rechts drehen. Der Scheitel verschiebt sich dabei nicht, vom Steißbein zum Scheitel bleibt die Wirbelsäule auf einer Linie, einer Achse. Die Knie sind nicht durchgedrückt. Suchen Sie den Punkt, der Ihnen eine schöne Dehnung der Kniesehne ohne Schmerz ermöglicht. Seite wechseln.

Steigerung
Je mehr Sie mit dem nichtgedehnten Bein ins Knie gehen, um so intensiver die Dehnung am anderen Bein.

Steilhang

Dehnt und entspannt.
Kräftigt die Rückenmuskulatur.
Stabilisiert den Torso.

Tip
Ein wirksamer Erste-Hilfe-Stretch
bei Rückenschmerzen.

SP

Direkt aus dem Drehfalter: Mit dem Gesäß tiefer in die Knie. Beckenboden
und Kronenpunkt aktivieren. Oberkörper gerade in Steillage bringen.
Das Steißbein fließt nach hinten-unten, der Kronenpunkt zieht in die Länge,
die Schultern sind entspannt. Auf 3 halten. Ganz aufrichten.

Hochturm

Aufrecht stehen, Hände verschränken, Arme über dem Kopf. Handflächen zeigen zur Decke. Knie entspannen, Füße ausrichten, der Beckenboden ist aktiviert. Mit gestreckten Armen die Armkugeln nach außen-unten schieben. Einatmen, ausatmen, einatmen, ausatmen. Arme lösen.

SK

Spannt die Wirbelsäule zwischen Beckenboden und Krone optimal auf. Setzt die Schultern anatomisch richtig.

Tip
Hervorragende Erste Hilfe bei Schulterverspannung und Spannungskopfschmerzen. Können Sie auch im Sitzen im Büro oder in der Pause im Theater durchführen.

Wenn's beim besten Willen nicht klappt

Die häufigsten Schwierigkeiten und ihre Lösung

Sie kippen in Rückenlage automatisch das Becken nach vorn und hoch

Legen Sie ein schweres Kissen oder ein Buch auf das Schambein.

Sie können in Rückenlage den Nacken nicht entspannen

Unterlegen Sie den Kopf mit einem gefalteten Tuch oder mit Taschenbüchern oder mit dem Tennisball (Seite 26, 66, 67).

Das Gesäß spannt sich automatisch mit an, wenn Sie Beckenboden denken

Üben, üben, üben. Fersenstoßen Seite 32 eignet sich besonders gut, um das neue Muster zu lernen.

Sie können in Rückenlage den Bauch nicht entspannen

Entspannen Sie den Rücken, lassen Sie die Wirbel wie Honig in die Unterlage fließen. Das entspannt auch den Bauch.

Der Bauch ist während der Bauchübungen steinhart

Vermutlich haben Sie die Schultern, beziehungsweise den oberen Rücken, zu weit vom Boden gehoben. Tief einatmen, Brustbein einsinken lassen, mit dem oberen Rücken weich zurückfließen.

Der Nacken schmerzt bei den Bauchübungen

Tip 1
Bleiben Sie mit dem Kopf am Boden, bis der Nacken so weit gedehnt und gekräftigt ist, daß Sie leicht einrunden können.
Tip 2
Bei extremem Rundrücken für die Bauchübungen nicht einrollen. Den Kopf gut unterlegen, bis die Halswirbelsäule gerade liegt.

Tip 3
Sind Sie sorgfältig eingerundet, oder muß der Hals die Arbeit machen, weil Sie das Kinn hochrecken?

Bei gewissen Beinübungen schmerzt das Hüftgelenk

Vermutlich lassen Sie beim Verschrauben den Beckenboden »schnalzen«. Die Drehung wird zu extrem und belastet das Gelenk. Grundtonus im Beckenboden stärken.

Die Schultern lassen sich nicht senken

Wahrscheinlich arbeiten Sie unbewußt mit den Armen und den Ellbogen. Lassen Sie die Ellbogen schwer nach unten fließen, so »befreien« Sie die Schultern vom Druck.

Der Kniestand schmerzt

Weiche Unterlage unter die Knie. Zuerst in den Fersensitz, so verteilt sich das Gewicht des Torsos auf das Unterbein, die Kniescheibe ist entlastet. Jetzt in die Position gehen.

Der Brustmuskel regt sich nicht

Die Schultern sind nicht ideal zurückgesetzt. Bei Rundrücken, eingesunkener Brust und hochgezogenen Schultern braucht das eine gewisse Zeit. Führen Sie die Übungen auf dem Rücken liegend und ohne Hanteln aus, bis sich Ihre Grundhaltung verändert hat.

Die Beine vibrieren bei gewissen Übungen

Wunderbar. Sie gebrauchen Ihre Muskeln neu. Lassen Sie sich vom Zittern nicht stören. Immer wieder Pausen einlegen.

Das Hohlkreuz ist hartnäckig

Tagsüber möglichst oft und immer wieder daran denken: Knie nicht durchdrücken, Füße ausrichten, den unteren Rücken nach unten fließen lassen, ab der Taille zum Kronenpunkt und ins Unendliche dehnen.

Wie oft? Wie lange?

Das Training muß auch Spaß machen. Lassen Sie also Ihr Temperament entscheiden, wie oft für Sie richtig ist. Am Anfang empfiehlt sich Disziplin, bis Sie drin sind, bis Sie die Übungen beherrschen. Es ist wie bei jeder Fertigkeit: Zu Beginn ist es beschwerlich, mit allerlei Entmutigungen. Mit der Übung kommt die Freude, kommt der Stolz, kommt die Bestätigung. Das ist beim Kochen so, beim Autofahren, beim Golfen und beim Klavierspielen. Einen Vorzug hat das Powerprogramm: Sie sehen, spüren Erfolge, auch wenn Sie die Übungen noch nicht perfekt beherrschen.

Für schnelle Fortschritte sind zwei bis drei Lektionen pro Woche empfohlen. Die 2mal-Disziplin ist erfahrungsgemäß leicht einzuhalten: Sie spüren noch die Wohltat vom letzten Mal und frischen sozusagen nur auf. Und wenn einmal eine Lektion ausfällt, fallen Sie nicht gleich aus dem Rhythmus.

Zum Unterhalt reicht eine Lektion pro Woche. Eine Herausforderung für das Durchhaltevermögen: Findet eine Lektion nicht statt, gibt's gleich zwei Wochen Pause für die Muskeln. Das nächste Training kann zum Wiedereinstieg ausarten.

In Streßzeiten und unterwegs in Hotels mag ich persönlich die 20-Minuten-Version: am Reisetag die Powerstretches zum Dehnen und Entspannen. Dann abwechselnd jeden zweiten Tag ein Kurzprogramm, einmal mit Fokus auf Arme/Busen, dann Taille/Bauch, Gesäß/Beine und so weiter. Gut für alle, die Abwechslung mögen und beim Trainieren gern kreativ mitdenken.

Wenn Sie eine gewisse Routine mögen, halten Sie sich ans Kurzprogramm.

Um mit Blockaden fertig zu werden, können Sie durchaus ein Intensivtraining machen: Fünf Tage nacheinander. Dann brauchen die Muskeln, Sehnen, Bänder, meist auch der Geist, zwei Tage Pause.

Intensivvariante: Jeden zweiten Tag trainieren.

»Wenn ich mit einer Stunde pro Tag in zehn Tagen sensationelle Erfolge habe, habe ich den gleichen Erfolg, wenn ich an einem Tag zehn Stunden am Stück trainiere?« Das war die ehrgeizigste Frage, die mir in diesem Zusammenhang je gestellt wurde. Unschwer zu erraten: Nein, zehn Stunden nacheinander bringen nichts, noch nicht einmal für Hochleistungssportler.

Wie schnell kann ich mit Erfolgen rechnen?

Sofort. Sie werden sich schon nach der ersten Lektion entspannter, gelöster, größer, schlanker, dynamischer fühlen. Es gibt glückliche Naturen, die können nach der dritten Lektion schon Unterschiede *sehen.* Die anderen spüren sie: Das Gewebe fühlt sich straffer an, die Muskeln haben Tonus und sind geschmeidiger. Die Taille ist länger ... Es lohnt sich besonders am Anfang, ein kleines Trainingstagebuch zu führen: Was fiel mir heute leicht? Was war schwierig? Wie fühlte ich mich vor dem Training, wie nachher? Welche Erfolge sehe, fühle, spüre ich?

Wenn Sie in ein Motivationsloch fallen, können Sie sich mit diesem Tagebuch wieder aufrappeln. Und Motivationslöcher kommen so sicher wie das Amen in der Kirche. Auch bei mir. Bloß habe ich eine sehr effiziente Motivation: Ich muß. Wie soll ich meine Schülerinnen motivieren, wenn ich selber durchhänge? Für mich funktioniert dieser Druck sehr gut. Ich habe noch nie länger als drei Tage »pausiert«. Noch nicht einmal im Spital oder im Urlaub.

MOTIVATIONSBRÜCKEN

* Überwinden Sie die Unlust. Hinterher werden Sie stolz sein.
* Vorher schlapp, hinterher fit.
* Nehmen Sie sich ein gezieltes Thema vor. Zum Beispiel: Auf die Entspannung achten. Oder bei jeder Übung zehn Wiederholungen wider den inneren Unlusti.
* Wenn Sie keine Lust haben oder sich unwohl fühlen, so können Sie sich während des Trainings besonders gut entspannen. Großes Plus.
* Trainieren Sie zu Ihrer Lieblings-CD.
* Trainieren Sie in Ihrer schönsten Unterwäsche, möglichst vor dem Spiegel.
* Trainieren Sie — so es die Temperaturen zulassen — im Freien. Auf dem Balkon. Im Garten. Für die Extraportion Sauerstoff.
* Laden Sie eine Freundin, die Tochter, den Ehemann, den Freund zum Mitturnen ein.
* Rufen Sie sich das Wohlgefühl nach dem letzten Training ins Gedächtnis. Möchten Sie das wieder erleben?
* Mein bester Trick: Will ich durch ein bißchen Unlust aufs Spiel setzen, was ich mir in den letzten vier Jahren erarbeitet habe?

Und wenn Sie einfach nicht mögen: Gönnen Sie sich ein Dessert, und lassen Sie sich auf keine Schuldgefühle ein.

Was ist mit dem Gewicht?

Also doch noch zum Thema Gewicht, weil ich so oft danach gefragt werde: Keine leeren Versprechungen! Sie können mit dem Powerprogramm nicht abnehmen. Im Gegenteil. Muskeln sind schwerer als Fett. Sie können mit diesem Programm auch mit 70 Jahren Fett, das sich in den Muskeln abgelagert hat, gezielt abbauen und Muskeln zulegen. Die Waage erzählt Ihnen davon nichts.

Wenn Sie Gewicht verlieren möchten, müssen Sie die Kalorienzufuhr drosseln oder die Fettverbrennung durch Bewegung ankurbeln. Ich persönlich ziehe die Variante mit mehr Bewegung vor: Dreimal pro Woche den Puls auf 110 bis maximal 120 Schläge pro Minute und für mindestens 40 Minuten da halten. Zum Beispiel auf einem Hometrainer Rad, Laufband, Rudergerät. Mehr Spaß macht Gehen, Schwimmen, Radfahren in der Natur.

Eine andere Praxis empfiehlt täglich 12 Minuten hoch mit dem Puls (180 minus Altersjahre gleich Maximalpuls). Und zwar mit Joggen, Seilspringen, Rudern, Spinning und dergleichen. Es funktioniert, ich habe es ausprobiert. Allerdings — Sie ahnen es — nicht durchgehalten. Morgens bin ich zu steif, abends kommt immer etwas dazwischen, während des Tages mag ich mich nicht für 12 Minuten umziehen, schwitzen, duschen, anziehen.

Wenn Sie ein paar überflüssige Pfunde loswerden möchten, wie auch immer, so unterstützt Sie das Powerprogramm ideal: Konsequentes Training zur Unterstützung beim Abnehmen verhindert, daß die Haut und das Gewebe erschlaffen. Die biochemischen Vorgänge im Körper zügeln den Appetit. Regelmäßiges Training hilft beim weniger Essen. Und schließlich sieht jedes verlorene Gramm Fett nach viel mehr Gewichtsverlust aus, weil sich die Formen straffen, während das Fett weniger wird. Ich wünsche Ihnen viel Erfolg — und mindestens soviel Spaß mit dem Powerprogramm.

Foto von Sigi Hengstenberg/SHAPE

Benita Cantieni

Begründerin von CANTIENICA®-Methode für Körperform & Haltung
CANTIENICA®-Beckenbodentraining
CANTIENICA-Faceforming®

Autorin von

»Tiger Feeling — Das sinnliche Beckenbodentraining«,
ISBN 3-333-01002-x, *Verlag Gesundheit*, Berlin 1997
»Tiger Feeling« ist auch als Video erhältlich
ISBN 3-333-01031-3

CANTIENICA-Faceforming® — Das Anti-Falten-Programm für Ihr Gesicht,
ISBN 3-333-01013-5, *Verlag Gesundheit*, Berlin 1998
»Faceforming®« ist auch als Video erhältlich
ISBN 3-333-01020-8

Co-Autorin des Buches »NEWCALLANETICS® — Die neue Methode«,
ISBN 3-550-08801-9,
Verlag JOURNAL für die Frau, Ullstein, Berlin

CANTIENICA®

**Die CANTIENICA®-Methode —
das Synonym für intelligentes Training.**

Interessieren Sie sich für eine Lizenz zum Studiobetrieb
der CANTIENICA®-Methode für Körperform & Haltung?

Oder möchten Sie die Adressen der Studios,
die CANTIENICA®-Methode für Körperform & Haltung
exklusiv anbieten?

Interessieren Sie sich für CANTIENICA®-Beckenbodentraining
und die Adressen der Studios, welche die Methode
exklusiv anbieten?

Oder sind Sie Therapeut, Therapeutin und möchten
das von den namhaften Schweizer Fachärzten
und den großen Krankenkassen empfohlene Intensivtraining
der Beckenbodenmuskulatur nach Benita Cantieni lernen
und in Ihrem Studio weitervermitteln?

Interessieren Sie sich für eine Lizenz
für CANTIENICA-Faceforming®, um es in Ihrem Kosmetikstudio
anzubieten?

Oder möchten Sie die Adressen der Studios,
die CANTIENICA-Faceforming® exklusiv anbieten?

**Wir informieren Sie gern.
Rufen Sie uns an.**

CANTIENICA LTD
Postfach
CH-8034 Zürich

Telefon 0041-(0)1-388 72 72
Fax 0041-(0)1-388 72 88

Die Deutsche Bibliothek — CIP Einheitsaufnahme

Cantieni, Benita:
Cantienica : das Powerprogramm für mehr Lebensenergie,
Lebensfreude und Lebensqualität / Benita Cantieni. -
Berlin : Verl. Gesundheit, 1998
ISBN 3-333-01022-4